吃的真相

The Truth of Food 云无心 著

饭桌上的盲从恐慌，都根源于不明真相

重庆出版集团 重庆出版社

图书在版编目（CIP）数据

吃的真相 / 云无心 著；– 重庆：重庆出版社，2009.10
ISBN 978-7-229-01287-8

Ⅰ.吃… Ⅱ.①云… Ⅲ.①食物营养 – 健康 Ⅳ.①R151.4–53

中国版本图书馆 CIP 数据核字（2009）第 178523 号

吃的真相

CHI DE ZHENXIANG

云无心 著

出 版 人：罗小卫
策　　划：华章同人
责任编辑：陈建军　王　曦
特约编辑：李　洁　陈　丽
封面设计：张发财
插　　图：陆　叶

重庆出版集团
重庆出版社 出版

（重庆长江二路 205 号）

三河宏达印刷有限公司　印刷
重庆出版集团图书发行公司　发行
邮购电话：010–85869375/76/77 转 810
E-MAIL：sales@alphabooks.com
全国新华书店经销

开本：787mm×1092mm　1/16　印张：19.5　字数：232千
2009年11月第1版　2009年11月第1次印刷
定价：28.00元

如有印装质量问题，请致电023–68706683

● 推荐序一

爱科学更爱厨娘

李蕾

(上海电视台《风言锋语》主持人)

我持续焦虑着，自从发现食品越来越凶险之后。

十几年前的一个下午，我得到一份礼物：一把用树杈制成的弹弓，可以打别人家玻璃。我立即想到：小西红柿将是最好的子弹。想想看，一枚枚鲜红的"子弹"呼啸而去是多么华丽，足以激怒空中的神明和地上的公牛。况且我一直很讨厌小西红柿，有人叫它圣女果，我却不明白为什么要把西红柿变小，难道是为了得到更多的柿子皮吗？在那个用弹弓打人家玻璃的下午，时代已经匍然开启了一扇"转基因"的大门，我身处其中，却丝毫没有意识到巨大的变化已经降临。

就从牛奶说起吧，这道又白又毒的光太强烈了，彻底折射出这个国家在经济、生活上最为深刻的变化。在我出生的城市里，有一个名叫贾平凹的作家，他说这城是废都，废都有个庄之蝶，也是作家，黄昏时分，妇人牵着一头奶牛穿过黑黢黢的明朝城墙进城来，奶牛是终南山买来的，庄之蝶就钻入牛肚子底下，嘴对着牛乳头吮吸牛奶。这是20世纪80年代的情景，那时候我家也订牛奶，有个同学的父亲是奶站工作人员，小孩子骂仗的时候会凶狠地说他：你爸往牛奶里掺水！呸，往地上吐一口唾沫，唾沫星子里绝没有三聚氰胺。

过去的食品都是美好的。在我伤心的时候，母亲会用吃的东西给我安慰；我最热爱的作家几乎都在讲述和饥饿有关的故事；人们会被一顿晚餐深深感动，餐桌上安放一面鼓，每敲一下鼓，人就吃一口，像一场发生在舌头上的音乐会；共通的人类记忆一定来自厨房，智慧的女人走进去，控制风，控制水，控制火和土，像一个伟大的炼金师，她们烹饪的食物在身体里待上几个小时，然后以化学的方式变成灵魂、思想和信仰，赋予我们器官、个体和国家；在一个狭小的筒子楼里，父亲告诉我最好吃的面必须用手做出来，而不是用压面机，否则面会失去它应有的味道；在南美洲的一家餐馆，我遇到罗萨莉娅，这个长着黑陶皮肤、深邃黑眼睛的姑娘教我光着脚踩一粒玉米，因为里面有玉米神，只有用这种方式才能表达对他的崇敬……总之，就是在这样那样的地方，我吃下这样那样的东西，和不同的人心灵相通，知晓了人世间的许多事情。

是从什么时候开始，厨房的地位遭到贬低，我们一不留神就吞下了有毒的物质；全球气候变暖，人们制造出可以吃的珠宝、动物一样的植物，还有所谓的"新人类"：每天吞服大把药片、往脸上注射肉毒素、梦想变成一台机器、虚拟未来和世界。

如果我有了一个可爱的孩子，我想给他吃我小时候吃过的东西，让他了解我的过去，但糟糕的是它们全被摧毁了，我将气愤得不许孩子们问我为什么。为什么牛奶可以杀人？为什么我们这么心惊胆战地活着？我根本不知道如何作答，看了好多书也没有用。哲学只提供问题，不负责解答，科学才提供结论。为此我的焦虑通宵达旦、灵魂附体，而马丁·路德早在1534年就写道："每一个国家想必都有它自己的魔鬼。德国人的魔鬼就是一个结实的胃囊，叫做酒鬼，它是那么口渴和焦躁，即使痛饮葡萄酒和啤酒也无法平静下来，这样永久的干渴将成为祸害，直至世界的末日。"

这些话成为挥之不去的阴影。要怎样完成欲望的救赎？我们缺钙、缺碘、缺锌，甚至缺心眼儿、缺德，这一连串强烈的匮乏感让我感受到了命运：人类的、国家的和我的。

2008年冬天，我到处问谁认识姬十三。这是向另一个女人学来的，她叫梁子，女摄影师，她曾经到处问谁认识非洲酋长，后来她真的去了非洲。我十分想见姬十三，十分想找到科学松鼠会，那里有一群信仰科学的人，他们自称松鼠，为公众嗑开科学的坚果。我向梁文道打听，因为之前看过科学松鼠会推出的一本书《当彩色的声音尝起来是甜的》，是他写的序。梁文道说他没见过松鼠们，只知道他们很年轻，他又说：即将召开的哥本哈根大会是人类最后一次挽救自己的机会，否则人类将从地球上消失。他呼吁关注人类命运的人们赶快行动起来，给各国首脑写电子邮件。这让我惊恐万分，惊恐拉得很长，因为"猪流感"来了，接下来人们飞速地弄清楚"流感不是猪的错"，再接下来，我终于找到了松鼠们。他们中的一些人陆续前来参与我的电视节目，第一个出现的就是这本书的作者云无心，那期节目叫做"上一堂负责任的流感课"。

我可以告诉你云无心是怎样的一个人，他相貌端庄，懂得武侠小说和风清扬，和漂亮女人握手手心冒汗，爱好不赚一毛钱地发帖，珍惜跟帖的粉丝。老实说我并不知道他是不是足够"像"一位科学家，因为科学家和我的距离甚至比地球到月球的距离还远。但是我因他而终于确立了自己对于科普作家的要求，一个负责任的科普作家就是像云无心这样：有良知于提升公众的科学精神，有才华把科学写得像故事一样好看；敢出畅销书，敢上电视，也敢说不知道。我并不苛求他像一本印满谜底大全的书籍，当一次次面临这个时代的不可知物时，最重要的是我能够看到他站在我身边，仿佛一起重回那个古老的厨房，用善良和感情烹任一道道佳肴，唤醒我的内心。从此，对吃我不再迷惘，因为科学已成为我身上最美好的一部分。

● 推荐序二
实验室里的新美食学

欧阳应霁
（涉猎各种好玩领域的香港专栏作家、漫画家）

实不相瞒，我最怕被人称做"美食家"。

这与我害怕被媒体朋友称做"跨媒体创作人"和"生活家"一样，往往在大庭广众之下被这样公开一喊，我的脸马上刷的一红（甚至会变黑）。什么叫做"跨媒体"我不清楚，人人都有自己的生活，谁有资格自称专家？男女老幼都嘴馋、都爱美食，美食家一街尽是——这都是无用甚至易误导别人的标签。能够成"家"也不是我的终极目标，怕的是太自以为精英且负担太重。如果"成家"和"出家"可以自由选择，我更倾向后者。

所以我宁可用比较中性、说了等于没说的"创作人"来标识自己，用"贪威识食，练精学懒"来作做人行事的指导方针。之前一心要做跨媒体导游，却发觉太自不量力了——特别是在追

5

看了云无心博士的一系列"在实验室里研究做饭"的文章，我这等诉诸感情多于理性的家伙，实在该下定决心重回学校再好好念书。

如果真的有机会腾出一年时间回到学校里念书，首选一定是意大利皮德蒙特省的美食科学大学（University of Gastronomic Science），那是国际慢食运动的创办人，我和一众老友的精神领袖 Carlo Petrini 倡导创建的一所美食研究学院。念完一年的课程，我并不会摇身一变成专业厨师，因为来这里做客席讲师中的主厨都不会教我厨中秘技，但我会更清楚近百年来的农业工业化对自然生态、对物种多元性带来的种种毁灭性的影响，会知道大型跨国企业如何利用种子、肥料及杀虫剂这三种必需品在发展中国家获取最大的利益，如同侵略和殖民。我会目睹大量的民间饮食、厨房知识以及传统小作坊手工制作的食品因为农村急剧萎缩解体而流失、消亡。这一年也许是很"痛苦"的一年，但通过这深入的省思，我会更坚定地捍卫基本人权，确认每个人都有权利追求快乐、自然、身体的健康和真正的饮食乐趣。这一门学科，也就是 Petrini 二十年来不断阐释定义的"新美食学"。

吃是一种不断发展的文化，食物是定义人类身份认同的要件。新美食学绝对是一门跨领域的学科，它整合了植物学、物理学、化学、农业学、畜牧学、生态学、人类学、社会学、地缘政治学、政治经济学、贸易、科技、工学、烹饪、生理学、医学、哲学等众多学科。我们在嘲笑某某美食节目主持人说"鸡有鸡味"、"口感超正点"之际，能否说出为什么鸡会没有鸡味？口感究竟是天生的还是后天培养的？一年的课程应该只能打个基础，新美食学肯定是一门需要终身学习的生活学科。

而在新美食学的感召下，一群新美食家正在诞生。新美食家必须知道食物的历史、来源、知识，要具备农业、环境和生态意识，懂得维护且能保留物种的多样性及维持本来滋味的耕作方式。新美食家的使命在于向社会大众提供更多的、有根有据的、理性与感性都好好兼顾的食物信息：吃得好、吃得干净、吃得公平，是当下及未来三个必备的永续饮食选择方向。

云无心博士一直发表的吃喝不止玩乐的文章，真正就是这个新美食学讲堂里精彩独到的教材——少一点儿无知迷信、去一切怀疑困惑、多一些坦诚信任，这都是我们这一代及下一代人应该共享的新生活质素。

● 自 序

　　我没有想过有一天会出一本这样的书。

　　去年，姬十三问我有没有想过把写过的文章出成书，我说没想过，我既不知道怎么操作，也没有精力去做。他说，你把书稿给我吧。于是我把这些文章给了他。他后来还找来了小庄"华丽"地加盟，而我就甩手了。所以后来跟别人谈起这本书，我都不好意思说是我的，经常说是"科学松鼠会的第二本书"。

　　这是一本博客文集。开始写博客是因为2006年底在离家人五百公里之外的城市工作，下班之后无所事事，就写博客消遣。在很长一段时间里，也只是写一些生活花絮，后来开始逐渐回答一些网友关于食品方面的问题。再往后就出现了"瘦驼"——写动物很有名的科普作家。他看过我的博客，把我介绍给了《新京报·新知周刊》的编辑拇姬，很久之后我才知道这个"拇姬"还有着其他几个相当有名的名字。

　　拇姬发了个纸条问我可不可以发一些文章在他的科普版面上，于是，我开始了和平面媒体的合作。那时候写的文章是典型的博客风格，想到哪里就写到哪里，很多基本上就是资料的罗列——就像一块打理得很糟的菜地，荒草之中长了一些蔬菜。不过，拇姬是个很有耐心的编辑，他在荒草之中把可吃的菜挑出来，在盘子里装点好了再问我可不可以上桌。就这样和拇姬一直合作，时间长了，给他的东西逐渐从"有菜的荒草"向"有荒草的菜"转变了。

　　实际上，在给平面媒体写稿的相当长一段时间里，我都不觉得自己写的这些东西有什么太多的"技术含量"，也经常说这些都是常识而已。拇姬则很严肃地说，在你看来是常识，公众却经常受到各种媒体的误导，我们要做的是把真正的常识传播开去。后来，一起与食品有关的事件的发生，使我认同了拇姬的这种看法：在食品领域，公众需要的不是最新最"尖端"的科学进展，而是可靠的"常识"！

　　这本书最后定名为《吃的真相》。对于真相，我很喜欢这样的一个解释：全部的事实和事实的全部才是真相，如果我们只得到了一部分事实，就成了"不明真相的围观群众"。在食品领域，被"部分的事实"和"事实的部分"所误导太容易了，而这也是不良厂商和不负责任的媒体忽悠消费者的"常规武器"。我们看惯了电视、报纸上的专家指南：为了推荐一种东西，会把那种东西说得近似灵丹；为了反对一种东西，会把它描述得近乎毒药。他们所说的不一定全无根据，但是在我看来，只是"部分的事实"。虽然许多人喜欢这样分明的"非黑即白"的简单结论，但是复杂的自然和科学的现状却不能给我们这样"赏心悦目"的东西。我一直坚持的原则是：尽可能全面地介绍一种食物在科学领域的研究现状，以及国际上权威性高的几个机构对它的意见。

　　这样的尝试有时候让人很沮丧。食物是一个人人都有切身了解的

领域，人们对于许多东西有着固有的观念和坚持。当现代科学的结论
与人们的固有看法不一致时，许多人的直接反应是"你错了"。我曾
发表过一篇介绍味精的科学研究和权威机构管理规定的文章，在文
中我只介绍了事实，而没有明确给出个人观点，每个人都可以从中
找到与自己的成见一致或者不一致的地方。这篇文章在《新京报》博
客上有十多万的点击量、两百多条留言。在这些留言中，有几十条
是骂"被味精厂家收买"，而另有几十条却是骂"妄图搞垮民族味精
产业"，能够心平气和地看待科学资料的留言，被淹没在铺天盖地的
谩骂之中。有生以来，第一次被人如此对待，我对所坚持的原则产
生了深深的怀疑。拇姬安慰我说：除非不说话，否则总要挨骂的，坚
持理念就行了。在这本书里，触犯了一些人利益或者"自尊"的地方
可能很多，很多文章在科学松鼠会的群博上已经遭到过不少围攻。而
我始终不对这样的谩骂和攻击作任何回应，只对科学事实和逻辑分
析发出的疑问进行回答。

有一位读者读了我的一篇文章后留言：对于食品，我们有太多的
人坚持"两个凡是"了——凡是"传统的"、"天然的"就是好的，凡
是"现代工业加工出来的"就是有害的。在为这位读者的总结击节赞
叹之余，我在后来的一篇文章中说：动植物生来不是给我们吃的，成
为人类的食物无助于它们获得生存优势，所以它们也就没有义务进化
成我们的"完美食物"；"传统的食物"只是祖先们"不知道有没有
害"，而不是它们"没有害"——慢性的、轻微的毒害祖先们是发现不
了的。比如咸鱼，很"传统"很"天然"，但只有在现代科学的检测和
调查之下，人们才知道其致癌性比苏丹红证据确凿得多。

经常有人问："你的文章怎么没有明确的观点啊?"我的回答是：
"我不能替你决定是否选择一种食物，我能做的只是提供可靠的信息，
由你自己来做决定。"

　　人们对食物的选择至少取决于以下几个因素：有什么营养成分？有多大的健康风险？卖多少钱？好不好吃？方不方便？每个人对这几个方面的重视程度都不一样，而我只介绍食物在营养方面的价值和健康方面的风险，尽力做到不夸大、不缩小。经常有读者看完文章后说："原来这个东西也不是绝对安全的啊，我以后不吃了。"而科学松鼠会的小如则说："为什么我看完你写的这些文章后吃得更安心了呢？"我说："这就是现代食品科学的意义——明明白白告诉你它的好处和坏处，以及这些结论是如何得出来的，然后你就可以安心地作出选择了。"

●目 录

目　录

第四章　偏见皆可抛

The Truth of Food

第一章　营养诚可贵

豆浆不能与什么一起吃

只要有人提出"什么与什么不能同吃"，该说法总是能在短时间内广泛传播。如果"不能同吃"的说法里再有一些科学名词，就更让人深信不疑了。关于豆浆的"搭配禁忌"就是如此。下面来分析最常见的几个说法。

"豆浆不能与鸡蛋同吃"，是关于豆浆的禁忌中流传最广的。这个说法的理由有两种：一是"豆浆中有胰蛋白酶抑制物，能够抑制蛋白质的消化，降低营养价值"；二是"鸡蛋中的黏性蛋白与豆浆中的胰蛋白酶结合，形成不被消化的物质，大大降低了营养价值"。

第一条理由还算有点靠谱儿，大豆中的确含有一些胰蛋白酶抑制物，其活性就是抑制胰蛋白酶的消化作用，从而降低对蛋白质的吸收。我们说豆浆一定要煮熟了吃，煮熟的作用之一就是破坏蛋白酶抑制物的活性。不过，这跟鸡蛋一点儿关系都没有。如果它的活性被破坏了，就不会影响对任何蛋白质的消化；如果没有被破坏，那么不仅是鸡蛋，大豆蛋白自身的消化吸收也会受到影响。

第二条理由纯属以讹传讹。胰蛋白酶是人体或者动物的胰腺分泌的酶，其作用是分解蛋白质。如果大豆中存在这样的酶，纯属大豆跟自己过不去，早就在进化过程中被淘汰了。大概是第一个提出这种说法的"专家"没有看见"胰蛋白酶"后面还有"抑制物"这个词，想当然地进行了一番"推理"，于是，该说法就流传开来了。鸡蛋中的

"黏性蛋白"是一种结合了糖的蛋白质，它本身也是一种蛋白酶抑制物，可以结合胰蛋白酶使之失去活性。既然大豆蛋白中没有胰蛋白酶，鸡蛋中的黏性蛋白跟豆浆也就不会有矛盾。鸡蛋中的黏性蛋白本身还是一种过敏原，有的人对鸡蛋过敏，它是可能的罪魁祸首之一。如果豆浆中真有某种成分与它结合从而使之失去活性，倒是一件好事。

　　所以，豆浆和鸡蛋，都是需要充分加热做熟才可食用的。加热的过程除了达到通常的杀死致病细菌的目的，还担负着破坏这些"害群之马"的任务。

　　另一条禁忌是不能用豆浆冲鸡蛋，理由与上面的相同。不过这个结论歪打正着是正确的，原因在于热豆浆的温度不足以对鸡蛋充分加热。鸡蛋中很容易含有一些致病细菌，还有一些过敏原，这些成分没有被充分加热而失去活性的话，可能会产生一些不良后果。尤其是那种不是吃饲料长大的"走地鸡"，下蛋的环境实在不敢恭维，通常卫生条件难以保障，其蛋中含有致病细菌的可能性就更高。

　　许多人喝豆浆喜欢加糖。而有一条禁忌是不能加红糖，原因是"红糖中含有一些有机酸，会与豆浆中的钙或者蛋白质生成沉淀，从而降低营养价值"。且不说红糖中含有多少有机酸，豆浆中本来就没有什么钙，豆浆的价值跟钙也完全不搭边。既然本来就没有，当然也就无所谓"损失"。而有机酸与蛋白质能否结合，结合之后是否不被消化，本身也是不确定的事情。即便是真的，红糖中的那点儿有机酸相对于豆浆中的蛋白质也只是沧海一粟，完全可以忽略。

　　还有人说最好也不加白糖，因为"糖在体内转化成酸，会结合体内的钙或者蛋白质，影响人体对钙和蛋白质的吸收"。这种说法更是离谱儿。糖转化成酸是在吸收之后，跟消化道内的钙和蛋白质根本没有碰面的机会。而且，人体总会摄入碳水化合物，最后在体内会分解成糖。如果糖转化而来的有机酸能有如此的破坏性的话，那么我们吃的米饭、馒头、面包乃至蔬菜最终都会有同样的作用。

当然，对于大多数人来说，食谱中的碳水化合物都比较多。为了控制血糖浓度，减少热量摄入，不在豆浆中加糖是有利健康的。但这是因为减少整个食谱中总的糖摄入量，而不是说糖跟豆浆一起吃就有什么危害。

 聚议厅

wohaa:

如果豆浆不能和油条一起吃，那将会掀起中国的早餐革命。

Xiaohui:

最近在公交车的移动电视上总是看到某某"专家"说豆浆不能跟鸡蛋一起吃、不能跟红糖一起吃，说得头头是道的样子，唉！大众就是这样被……

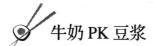 ## 牛奶 PK 豆浆

　　每当我们的球队踢不过外国球队，就会有人说"没办法，人家是喝牛奶长大的"，于是"喝奶"和"强壮"就被紧紧地联系在了一起。其实，在英语里，"milk"并不专指牛奶，"dairy milk"或者"cow milk"才是牛奶。而另一种奶，soy milk，并不是中文里的"豆奶"（豆浆和牛奶的混合物），而是现代技术生产的"豆浆"，它需要进行一些工业处理，使之能像牛奶一样存放一定的时间。而所谓的大豆饮料，跟豆浆更只能算是远亲了。大豆饮料的生产流程和饮料特性，已经跟我们所说的豆浆迥然不同了。很多初到美国的人会很惊奇：美国的豆浆，原来比牛奶要贵多了！在世界豆制品市场上，美国企业是龙头，尽管美国吃豆制品的人并不多。在研究开发方面，则是美国和日本遥遥领先。美国的豆制品研究，已经到了分清大豆中的每一种成分的地步。而日本则可以在分子水平上操纵豆制品的性能。所以到了最后的产品阶段，基本上是美、日的天下。中国的豆制品产业也算庞大，可基本上是低端产品，经济附加值很有限。

　　那么，牛奶和豆浆，有什么相同和不同呢？

　　牛奶是很好的食物。它的氨基酸组成和人体需求很接近，被消化吸收率很高；还含有比较多的钙，一杯牛奶就能提供四分之一的人体每日所需的钙。除此以外，它还含有比较多的维生素 D、维生素 B_{12} 等等。至于其他的成分，人们很容易从别的食物中获得，也就不是那么

重要了。因为喝牛奶很方便，所以西方人把牛奶当做所有人的日常饮食，而不是像我们在过去把它当做"营养品"，只给老人、孩子或者病人喝。

不过，牛奶也并非像某些商家宣传的那样是"完美食品"。全脂牛奶含有大量的饱和脂肪酸和胆固醇，对于心血管健康较为不利。含有极少量的或者不含饱和脂肪酸和胆固醇，是"健康食品"的关键指标之一。脱脂牛奶能够解决脂肪的问题，但是脱脂同时也会去除脂溶性的维生素，比如维生素 D。脱脂虽有利于降低牛奶中的胆固醇含量，不过，脱脂奶中的胆固醇依然不少。

对于大多数人来说，每天喝一两杯牛奶，是一种很好的饮食习惯。不过对于高血脂、高胆固醇患者来说，喝牛奶不仅不利于健康，反而是雪上加霜。牛奶本身是一种过敏原，有的人喝了会腹胀、腹泻、腹痛，甚至出现皮肤瘙痒、呕吐等症状。牛奶中还含有大量的乳糖，许多人，尤其是亚洲人，由于体内缺乏乳糖酶，无法分解这些乳糖，所以会出现"乳糖不耐受症"。乳糖不耐受者，喝牛奶也会导致腹胀、腹泻、腹痛等症状。

豆浆是来自于大豆的产品，它也含有丰富的蛋白质。大豆蛋白是植物蛋白中唯一一个氨基酸组成接近人体需求的。换句话说，在满足人体蛋白质需求上，豆浆基本上与牛奶一样高效。另一方面，豆浆中的脂肪主要是不饱和脂肪酸，不含有胆固醇，这对于心血管健康很有利。豆浆中还含有一些纤维，也是现代人的食谱中所缺乏的。与牛奶一样，豆浆中也含有许多矿物质和维生素，不过种类不尽相同。

豆浆中还有一些通常所说的"生物活性成分"，比如卵磷脂和异黄酮。科学家们进行了许多研究，来检测这些成分对于人体健康的影响。不过，迄今为止还没有形成一致的意见。异黄酮作为一种植物雌激素，有一些研究表明它能减轻女性更年期症状，甚至降低某些癌症的发生风险，另一些研究认为它不具有这样的功能，还有研究甚至显示它对健康有不利影响。美国心脏协会的总结意见是豆浆没有传说中的"保健功能"。而卵磷脂，主要是用做乳化剂，甚至"降低胆固醇"的作用也没有得到广泛认可。

不过，不管这些"活性成分"的功能（有益的或者有害的）存不存在，在豆浆等豆制品中的作用都很微弱。对人们来说，"无害"比"有益"更为重要。在这个前提下，豆浆的"优质蛋白"和"降低胆固醇"使得它成为优质食品。在美国，学术界、工业界、主管部门和多数消费者，倾向于认为用豆浆代替牛奶是一种更健康的选择。不过，绝大多数西方人很不喜欢豆味，尤其是豆制品在保存过程中有一些成分容易被氧化而产生很糟糕的味道。所以，美国的豆浆有一个去除或者掩盖豆味的操作步骤，但中国人都不喜欢，觉得"一点儿豆浆味也没有"。对奶味的偏好和对豆味的排斥，是豆浆在西方不够受欢迎的原因。近年来，随着对健康的关注和豆浆加工技术的改进，豆浆在美国的市场也越来越大。另外，豆浆在保存过程中比牛奶容易发生聚集下沉，这也给把豆浆制成牛奶那样的方便食品带来了难度。保存难度高，加上市场需求量不是那么大，导致了美国的豆浆价格大大高于牛奶。

对中国人来说，豆味和保存的问题都不存在。中国人中喜欢豆味的可能比喜欢奶味的还多一些。人们愿意在家里亲自打豆浆，或者在早点摊上买，都是新鲜的，不需要保存。

与牛奶相比，豆浆最大的劣势是含钙量低。用石膏点的豆腐脑对此种情况有一定的改善，商业化的豆浆则是直接往豆浆里补充钙。另外，豆制品也是一种过敏原，能导致一部分人过敏。

总的来说，牛奶和豆浆都是很好的食品，在补充蛋白质上同样高效。牛奶的长处在于补钙，短处是不利于心血管健康和减肥；而豆浆则正好相反，长处是有利于心血管健康和减肥，短处就是天然不含钙。

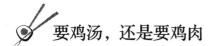 **要鸡汤，还是要鸡肉**

有网友说喝鸡汤更有营养，这大概是绝大多数同胞的看法。在传统的养生之道里，喝汤是很重要的一个方面。那么，喝鸡汤更有营养到底是以讹传讹还是确有其科学道理？我们需要分成两个问题来看：第一，我们要从鸡肉（鸡汤）中获取什么营养？第二，鸡肉在炖汤的过程中发生了什么变化？

第一个问题，从现代科学的观点来看，鸡肉为我们提供的营养成分主要是蛋白质，其他的成分主要还有：脂肪（好像大家现在避之不及）、维生素、钙等矿物质。"鸡汤营养好"主要是一个传统养生的概念。当然，传统的养生之道认为鸡汤里有某些"培本固元"、"增气生精"的神奇成分，现代科学看不见摸不着，用仪器检测不到，只是某个老祖宗说有所以就有了。所以我们需要先说明：这儿所说的营养，是指现代科学意义上的营养。

理清了上一个问题，下面就好办了。鸡肉中的脂肪并不多，我们也不想多吃；维生素和其他矿物质虽然有，但是鸡肉也不是它们的主要来源，所以我们也可以不去重点关注。人们从鸡肉中获取的主要营养成分，只是蛋白质。

在炖鸡肉的过程中，脂肪、维生素和骨头中的钙比较容易溶解到汤中。脂溶性的香味物质是溶解在脂肪里的，随着脂肪一并进入汤里，而水溶性的香味物质自然容易进入汤里，这是为什么汤好喝的原因。

但是，汤好喝并不意味着我们关心的营养成分蛋白质也进入了汤里。鸡肉中的蛋白质种类比较多，在炖的过程中只有一小部分会溶到汤里。有多少蛋白质溶进汤里受盐浓度和煮汤时间的影响很大，不过很难超过总数的10％。也就是说，只喝汤不吃肉的话相当于扔掉了90％以上的蛋白质。

在炖鸡汤的过程中，什么时候加盐很重要。盐的加入一方面会促进蛋白质溶解，也就是说，加了盐炖会增加汤中的蛋白质。也有人说，加盐会导致肉中蛋白变性凝固，从而阻碍蛋白溶出。这种说法有点想当然。炖鸡过程中加不加盐蛋白质都变性了，在炖的过程中温度很高，蛋白质不会凝固。另一方面，盐的加入增加了汤的渗透压，会导致鸡肉脱水。用通常的话说，鸡肉变得"干涩"，失去了"嫩滑"的口感。这也是炖完汤的鸡肉很难吃的原因。

流行全国的白斩鸡，是将鸡肉在不加盐的水里快速煮熟，实际上是尽可能避免蛋白质和其他成分进入汤里，从而保持鸡肉的鲜美。美国没有喝鸡汤的习惯，他们烹制鸡肉时更是极力避免损失其中的营养成分，所以通常用烤、炸或者蒸这样的烹饪方法。

从物质守恒的角度来说，鸡肉中的营养成分是固定的。简单的加热不能产生新的营养成分，而长时间的加热倒有可能破坏某些营养成分。就最重要的成分蛋白质而言，很小一部分在汤里，很大一部分在肉中。

当然，对于很多人而言，吃的时候考虑的更多的是美味而不是营养。而好的汤，确实比肉要好吃。如果用一句话来总结这个问题的话，就是：要美味，喝鸡汤；要营养，吃鸡肉。

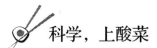 科学，上酸菜

有一位网友提供了一个他外婆的酸菜做法：

准备材料：

盖菜、雪里红、白萝卜的叶子、豆角都可以；

大的玻璃瓶子一个(干净，不能有油)；

两顿饭的洗米水、海盐。

做法：

先把菜用海盐搓软，放两个小时；

拧干菜的水，把菜放在大玻璃瓶子里，每一层再撒点盐(自己调味)；

洗米水放进去，以浸过菜面为宜，盖子不必旋得太紧；

放在阴凉的地方，大概七八天就会变酸、变黄。

毫无疑问，这是人民群众在长期的生活实践中总结出来的生产经验。照着这样的经验做，一定能做出同样的酸菜来。我们要考虑的问题是：这里面哪些材料和步骤是可以变通的，哪些不可以？这位网友的外婆已经提供了一个变通之处：洗米水太淡，可以加点米粉进去。还有别的吗？

有不少人说，酸菜吃多了容易得口腔癌。在哈尔滨，某一年里有

几十例吃酸菜食物中毒的。对此，两种主要想法成了社会主流：一是祖先吃了几百上千年的东西，怎么可能有毒，一定是现代人的错，于是污染啊、农药啊、工业化的弊病之类的因素又被拿出来说了一通。这种观点认为，只要按照祖先的方式去种蔬菜做酸菜，就一定没有问题；二是这玩意儿原来这么恐怖啊，不管如何，宁可信其有，不可信其无，还是不吃了吧，于是"翠花，不要上酸菜"了。

翠花哪里知道酸菜能不能吃啊？她能做的就是严格按照姥姥教给妈妈，妈妈再教给她的方法做酸菜。她只是很纳闷：都吃了那么多年了，怎么突然就说有毒了呢？

我们还是先看看科学是怎么认识酸菜的吧。蔬菜（白菜、盖菜、雪里红、萝卜叶子等等）都含有糖分，细菌在菜里发酵，把糖分变成有机酸，就成了酸菜。自然界中有很多种细菌，有的发酵产物对人体有好处，如乳酸菌、醋酸菌，是产生泡菜、酸菜的功臣；同时还有许多杂菌，它们不仅争夺糖分，更重要的是会产生有毒、有害的成分，危害人体健康。做酸菜的过程，就是帮助好菌生长、抑制杂菌的过程。如果抑制杂菌不成功，就会得到一堆腐烂发臭的东西而不是酸菜。

现在，我们来看看这位网友提供的做法。把菜用海盐搓软，一是破坏菜的结构，让菜失水，为后来洗米水的进入做准备，二是盐浓度高意味着渗透压高，很多杂菌无法生长，也相当于灭菌；洗米水的作用，一方面提供细菌生长所需的养料，另一方面可能还会带进一些菌种（细菌无处不在）；按理说，有益的菌（乳酸菌、醋酸菌）都是厌氧的，应该隔绝空气，但是盖子不旋太紧，大概是便于释放发酵产生的二氧化碳；放阴凉的地方，为的是避免阳光照射，保持比较低的温度。

显然，这位老婆婆做酸菜的每一个步骤都还是有合理之处的。我们再来看可变通之处：既然第一步是为了灭菌，那么只要是能灭菌的方法就都可以采用，比如把菜在开水里煮一下，或者在太阳底下晒两天。东北人做酸菜则直接把菜洗干净了了事，因为东北温度低，杂菌很难生长，所以做酸菜时对灭菌要求不严；至于洗米水，应该是为了加速菌的生长，如果不用（东北酸菜是不用的），那么发酵速度可能会慢一些，但是最后还是能成酸菜，因为做成酸菜的关键是分解菜中的糖分，洗米水只是帮助细菌更快长成规模；这种情况下发酵速度比较快，七八天就可以吃了，而东北酸菜不加洗米水，温度也低，通常要二三十天才能吃。

下面来说中毒的问题。酸菜中毒是因为酸菜中的亚硝酸盐含量过高。低浓度的亚硝酸盐对人体无害（国家标准允许有一定含量），过高的浓度则会使人出现缺氧症状，且亚硝酸盐还会转变成亚硝胺一类的物质，是一种致癌因素。所以，减少或者避免亚硝酸盐的产生是酸菜生产过程中要考虑的重要事项。

蔬菜里含有大量的硝酸盐。在某些细菌的作用下，硝酸盐会还原成亚硝酸盐。幸运的是，对人类有益的细菌，如乳酸菌、醋酸菌都不会干这坏事儿，它们一门心思地为人民服务，把糖分转化成乳酸或者醋酸；只有那些细菌中的败类，在争夺食物之外，还产生亚硝酸盐，成为酸菜有毒的罪魁祸首。

在自然发酵的条件下，开始的时候好菌、坏菌的量都不大。在发酵过程中，双方都想扩大自己的地盘，一统江湖。加盐、密闭、低温，都是帮助好菌、抑制坏菌的手段。在好菌与坏菌争夺江湖控制权的过程中，好菌产生酸，增加整个环境的酸度，而坏菌产生亚硝酸盐，准备危害人类。随着斗争的发展，环境的酸度越来越低，坏菌的生存条件越来越恶劣，最终邪不压正，好菌大获全胜，一统江湖。之后，坏菌覆灭前产生的亚硝酸盐也逐渐会被分解清除。在东北酸菜的生产条件下，坏菌产生的亚硝酸盐浓度在七八天的时候达到最高，然后逐渐下降，到二十天之后就变得非常低，基本上对人体无害了。传统的东北酸菜经常腌上一个多月才吃，所以翠花的酸菜只要不偷工减料，按照姥姥、妈妈教的方法去做是没有问题的。可是一些不良小饭店急功近利，用没有腌透、亚硝酸盐含量还很高的酸菜去做菜，造成食物中毒，大大损害了酸菜的名声。

既然亚硝酸盐是好菌与坏菌在争夺江湖盟主地位的时候由坏菌产生的，而这个争夺过程要持续许多天好菌才能统一天下，如果我们空投几万倍于坏菌数量的好菌进去，是不是可以大大缩短斗争时间，加快好菌一统江湖的进程，从而大大减少亚硝酸盐的产生？答案是肯定的，这就是现在工业化生产酸菜的方式。这样的方式不仅降低了亚硝酸盐的产生，而且减少了杂菌产生的异味，大大缩短了酸菜发酵的时间，从而降低了成本。

除此之外，科学还告诉人们怎样去减少坏菌捣乱。有人做实验得出这样的结论：一公斤菜中加入400毫克的维生素C，可以大大减少亚硝酸盐的产生；而在人体摄入亚硝酸盐的时候，如果同时摄入维生素C(维生素制剂或者新鲜蔬菜水果)，那么也可以把致癌物亚硝胺的量减少3/4。

我们倾向于认为祖宗传下来的东西总是好的，而对于现代工业则有抵触的心理。其实，按照科学指导进行的现代工业生产，完全可以吸收传统工艺中合理的部分，而改变不合理的部分。而很多不合理的部分，对于人们甚至是有害的。不管我们知不知道，承不承认，它们都不折不扣地存在着。

当翠花的酸菜受到怀疑的时候，还是让科学来告诉大家：酸菜，该这么上！

 聚议厅

橘子帮小帮主：

　　"酸菜只要不偷工减料，按照姥姥、妈妈教的方法去做是没有问题的。"这个说得很对，民间其实有许多符合科学的精华产品。

云无心：

　　是啊，盲目地反对民间、反对传统，跟盲目继承是同样的非理性。

安婆婆：

　　长见识了。"好菌—坏菌"的原理同样也可以用来解释豆腐乳、霉干菜一类的食品吗？不过酸菜这东西到底有没有营养价值呢？流行的一种说法是酸菜在泡制的过程中维生素都被破坏了，蔬菜的营养大打折扣。

云无心：

　　我认为是。做成酸菜会破坏蔬菜中的维生素应该是对的，至少会破坏大部分吧。但是它产生的乳酸是有益身体健康的。其实对于多数人来说，好吃还是难吃是重要的考虑因素。至于营养，还是要靠食谱多样化来保证。

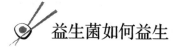
益生菌如何益生

对于许多人来说，听到"细菌"这个词首先想到的就是 731 部队的非人行为。在日常生活中，"细菌"带给人们的也是很不舒服的感觉，很多人甚至恨不得生活在无菌的世界里。不过，近年来兴起的"益生菌"却又让人们开始困惑：吃细菌，真的可以益生吗？

人体是一个细菌的乐园

自从出生的那一天起，人的身体就是一个细菌的乐园。一个成人体内的细菌总重量大约有 1.5 公斤，一般认为其总数至少是人体总细胞数的 10 倍。可以说，人体内细菌的复杂程度，远远超过绝大多数人的想象。即使是在生物学和医学获得了高度发展的今天，人类对于自己体内细菌的认识仍然相当有限。

人体中的多数细菌寄居在肠道之中。科学家们估计细菌种类多达 500～1000 种，这些细菌的基因组数与人体的相当，而基因总数则可能是人体的 100 倍以上。我们可能不会意识到，在我们走来走去工作、睡觉的时候，肚子里还藏着一个庞大的生态系统。这个生态系统不仅个体数目庞大，还处在永不停息的更新换代之中。在大肠中，每分钟死亡和新生的细菌多达 200 万～500 万，而在小肠之中，这个数字还要高上 10 倍。

有一些细菌是常住的，在肠道的固定位置繁衍生息，而其他一些则是流浪的，随着食物穿肠而过，来去无牵挂。随着肠道顺流而下，细菌的密度也急剧增加。在小肠里地广菌稀，每毫升里的细菌只有1000个左右；到了大肠，就发生了"菌数爆炸"，每毫升里的细菌达到了上千亿个。

地球是人类的家园，人体是细菌的家园。人类对地球所干的事情，细菌也在对人体干着。

致病菌与益生菌，恐怖分子和特种部队

地球上有几十亿人口，绝大多数人都是平平凡凡过着自己的生活。偶尔做点儿好事，比如给老人让个坐，或者干点儿坏事，比如随地吐痰、过马路闯个红灯，也不会对地球产生什么影响。绝大多数细菌也是如此，利用一下人体获得生存的空间，获取一些生存所需的资源。人是地球的一部分，细菌是人体的一部分。细菌的活动也给它们生存的家园带来一些好处，比如分解一些人体不能消化的纤维，合成一些维生素，增强人体的免疫力，等等。

在人类社会中，一小撮恐怖分子，就可以搅得鸡犬不宁，影响地球的和平。而致病细菌，就是细菌中的恐怖分子。只要它们进入人体，突破了人体的防御抵抗体系，人体这个细菌的家园就会生病，最坏的情况下甚至会死亡。

益生菌大致可以看做细菌中的特种部队，做的是保护家园的工作。不过在细菌的世界里，这些特种部队的作战能力往往不够强，通常只能完成一些维护治安的任务，对付一些小打小闹、小偷小摸还行，对于穷凶极恶的致病菌，基本上是有心无力。致病菌的降服，还是要靠人这个细菌家园的"佛祖"来处理。补充益生菌，相当于空投了一些能力只相当于治安联防队员的"特种部队"。

16

益生菌，人类知道多少

一百多年前，俄国免疫学家梅契尼科夫注意到保加利亚的农民比较健康长寿。他把原因归结于他们所食用的发酵牛奶中含有的活细菌，这就是益生菌概念的产生。在随后的一百多年中，科学研究逐渐认可了这个概念，认为补充足够数量、适当种类的活细菌，有助于增强人类的免疫力、抵抗细菌感染等。对于益生菌的研究，也越来越受到关注。

据统计，在1965年至2008年之间，人们至少进行了三千项关于益生菌的临床研究。在针对腹泻、免疫、过敏、癌症、女性健康方面，都有许多正性的实验结果发表。对于细菌种类、剂量、作用机理、安全性能方面，科学家们也进行了许多探索。

对于益生菌的研究，令人欣慰的是至今几乎没有副作用的报道；而遗憾的是，问题远比我们想象的要复杂。目前的研究取得了巨大的进展，但是距离真正可靠地造福人类，却还任重道远。

"益生菌"只是一个类似"好人"的概念，有无数的细菌可以被称为"益生菌"，而每一种都不相同。益生菌甲的功能可能益生菌乙完全不具备。而且，目前的研究一般都是针对一种菌的。当把多种菌混合在一起以期望获得多种功能的时候，它们之间是否会互相影响？可惜的是，这样的研究还很欠缺。

益生菌，从何而来

人体肠道内的细菌有几百上千种，自然界的细菌种类更是数不胜数。什么样的细菌能够脱颖而出，成为万众瞩目的益生菌呢？

筛选益生菌的过程有点儿像企业招人。首先确定菌的来源，就像一些企业只认可某些学校的毕业生一样，用于人类的益生菌最好是来自于人体。换句话说，从大便中分离出来的细菌"根正苗红"，比较容易受到认可。不过，所谓英雄不问出处，有一些来源于其他生物的细菌也获得了认可，但认可的过程就曲折艰难一些。其次就是安全性的检验，起码不能是致病细菌，否则就像招安强盗做警察，搞不好会监守自盗。除此之外，还不能带有由质粒编码的抗生素抗性基因。质粒是独立于DNA的遗传物质片断，可以控制合成一些具有特定功能的蛋白质。虽然抗生素抗性基因对于益生菌的生存有好处——想想使用抗生素杀死致病细菌，而益生菌却安然无恙，是一件多么美好的事情——不过，这样的风险实在太大。特种部队的武器流落到恐怖分子手里依然威力无穷——编码抗生素抗性基因的质粒也是如此，在益生菌里当然是锋利的武器，但是一旦被致病细菌盗取，就后患无穷。为了保证坏人没有武器，就不得不连同好人拥有武器的权利也一并剥夺了。

检验完安全性之后，自然就是有效性了。人们费了那么大的劲儿，消费者花了钱，当然不能只把"吃不死人"作为目标。有效性的研究更加麻烦，一是进行细菌培养，看看它们能否经受诸如酸、消化液等的考验，否则细菌还没到达小肠，就一个个香销玉殒，自然也就没有用了；二是看看它们产生什么，这些产生的东西对于人体是好是坏；三是看看它们有没有什么独门绝技，比如结合某种毒素或者分解某种有害成分等。

如果这些所谓的"体外研究"结果不错，细菌算是通过了又一轮考验，可以进入下一步的"体内研究"。这一步的研究还只是针对动物，拿细菌喂动物，看看那些体外研究的结果在动物体内是否会发生，有没有别的副作用出现，以及应该使用多大量等。

通过了这一步也还拿不到"益生合格证"，必须进行临床研究。临床研究周期长、成本高，通常需要大量的志愿者。把培养好的细菌给这些勇敢的志愿者服用，再次检验有效性和安全性。只有通过了大规模、设计可靠、对照严格的临床试验，才能认为这种细菌可以作为益生菌使用。

最后，进入商业化生产，厂家不能贴个"益生菌"的标签然后就把各种益生菌的功能罗列在上面。厂家必须说明这种细菌是什么、含量多少、在什么使用条件下能够实现什么样的功能。

可惜的是，最后这两条，即使是目前市场上卖的"益生菌"，很多也没有实现。

益生菌的补充，希望与挑战

从科学的原理和目前的临床研究来说，益生菌的概念是可行的。因为几乎没有负面的研究结果，商家们也就纷纷堂而皇之地卖起了"益生菌"。但是，基于目前人类对于益生菌的认识水平和商业生产能力，益生菌产品能否实现所宣称的功能是很难保证的事情。

首先，前面说了益生菌的功能必须是"特定菌株"、"特定剂量"、"连续食用"、"活细菌"才能实现。许多商业宣传说"研究表明，益生菌具有什么什么功能"，列出的是一大堆文献中提到过的功能。但是，这些功能跟他们的细菌可能毫无关系。也有许多广告推销都宣称"细菌含量高达多少多少"，而各种细菌能够产生效果的剂量却相差非常大，有的每天吃 1 亿个就可以起作用，有的却要吃 1 万亿个才行。由于现在对于益生菌产品还没有相应的质量标准和法定检测，所以厂家的宣称只能依靠它们的信誉来保证。法律规范和权威监测在这里都是真空地带。

其次，益生菌的作用是治安联防队性质的，而不是特种部队精英性质的。美国微生物学会 2005 年组织了一个益生菌研讨会，会议总结明确指出"迄今为止，绝大多数益生菌在人体中的使用对于疾病处理而言都是预防和支持性的，而不是治疗性的"。从这个意义上说，许多小孩儿拉肚子了，医生给开一些基于益生菌的"某某爱"，有多大效果非常难说。对于益生菌治疗拉稀，一项研究结果是这样的：不吃益生菌的小孩儿平均拉稀时间 72 小时，正负误差 36 小时；吃益生菌的小孩儿平均拉稀时间 58 小时，正负误差 28 小时。这样的"疗效"对于花了大钱、把"益生菌"当宝贝的家长来说可能有点儿难以接受，但是这个差异就是医学上所认可的"有效"。其他许多说法所说的"有效"也是如此，可能只是一点点改善，但是统计分析认为这种改善是来自于食用了益生菌，就总结为"具有该项功能"。

　　总的来说，益生菌的概念是没有问题的。但是，目前的科学研究对于益生菌的认识也还有限，食品药品监管机构也没有可靠的依据来制定产品标准和规范。临床研究的实验结果是一回事，各路商家吹得天花乱坠的产品能够实现多少他们所宣称的作用，却是另一回事。

 聚 议 厅

Sunny：

　　我肚子里面原来如此热闹。那么，如果想犒劳一下肚子里面好好做事情的益生菌特种部队该怎么做呢，让它们长久地在我的肚子里繁衍下去……呃，说得自己都感到一阵寒意……

云无心：

　　呵呵，这个还真是可以。其实与益生菌(probiotic)一起的还有一个"prebiotic"的概念，就是指你消化不了给细菌们吃的食物。你就多吃点儿纤维吧，比如果皮蔬菜之类的。其实吧，还有个把二者结合起来的东西叫"synbiotic"，现在的食品研究仅做益生菌已经不够"高级"了。估计对 prebiotic 和 synbiotic 的炒作也快开始了。

像赶时髦一样追逐大豆蛋白

据流行病学的调查发现，中国、日本等亚洲国家的人们心血管疾病发生率比欧美的要低。与欧美人相比，中日等国人民中食用豆制品的比例比较高。于是有人说，食用大量的豆制品有助于降低心血管疾病的发生。这个推论虽然让我们很高兴，但是显然站不住脚。因为中日等国和欧美人民在人种基因以及生活方式等很多方面都存在差异，完全无法确定是哪种差异的功劳。比如说，汉语、日语都是方块字，欧美使用拼音文字，按照上述的推论方式，我们也可以得出使用方块字能降低心血管疾病的结论——显然这个结论很荒谬。所以，这个推论只能作为一个假设而不能成为结论。

验证或者推翻这个假设，当然只能通过科学的研究方法来进行。最初的研究是针对动物的，科学家们用大豆蛋白和动物蛋白(比如牛奶中的酪蛋白，猪肉、牛肉中的蛋白等)分别喂养动物，发现用动物蛋白喂养的那一组产生了高胆固醇症状，而用大豆蛋白喂养的那一组则没有产生类似症状。高胆固醇和心血管疾病密切相关，这些动物实验的结果支持了上面的假设。

遗憾的是，当同样的实验在健康人身上进行的时候，胆固醇的降低并不明显。20世纪70年代末至80年代初，有科学家对高胆固醇的病人进行实验，用大豆蛋白几乎取代了食物中的所有动物蛋白，结果发现病人血液中的低密度脂蛋白胆固醇的浓度下降了20%～30%。同时，他们还发现，纯度低的蛋白粉比纯度高的蛋白粉更加有效。这一结果产生了一个新的问题：是不是产生作用的并非蛋白质本身，而是伴随的其他成分？这一疑问引发了对大豆中的其他成分的研究（参见《异黄酮的是是非非》）。对于人们来说，其中的哪个成分起作用并不重要，重要的是豆制品对于降低胆固醇是否有效。

关于大豆蛋白对于降低胆固醇的作用，有许多研究机构发表了各自的结果。这些实验观察到的胆固醇变化都是在几个百分点的范围之内。统计分析表明，有的实验中指标变化在误差范围之内，有的则具有统计学上的显著性差异（意思是指标的变化是由大豆蛋白产生的）。可喜的是，有显著性差异的那些实验，结果都是胆固醇下降。1995 年发表的一份综述总结了二十九项类似的研究，把所有的数据汇总在一起分析，发现对于体内胆固醇含量高的人，大豆蛋白能显著降低低密度脂蛋白胆固醇（可达 20%）；对于体内胆固醇含量中度的人，也有一些作用（降低 7% 左右）；而对于体内胆固醇含量本来就低的人，则没有什么作用。这一结论成了 FDA 在 1999 年批准大豆蛋白营养标示的基础，"每日食用 25 克大豆蛋白，并配以低胆固醇、低饱和脂肪酸的食谱，可以降低心脏疾病发生的风险"。这是迄今为止食品监管机构对于大豆蛋白的保健作用唯一的认证。

2006 年，美国心脏联合会进一步审查了二十二项公开报道的研究后认为，与动物蛋白相比，大豆蛋白只能降低 3% 左右的低密度脂蛋白胆固醇，所以他们认为 FDA 认证的上述作用非常微弱。不过，联合会也指出：由于豆制品中含有大量的不饱和脂肪酸、纤维、维生素、矿物质，以及只含有低浓度的饱和脂肪酸，豆制品对于心血管以及人的整体健康是有利的。

总的来说，科学家们对大豆蛋白（以及伴随的成分异黄酮）的保健功能进行了很多研究，除了上面提到的对于心脏病的一点儿好处之外，没有证实有市场宣传鼓吹的其他作用。至于有的宣传提到的改善睡眠、提高免疫力，甚至连正式的研究都没有见到。当然，不排除某些厂家在其中加入某些药物成分来获得某些功能，但那与大豆蛋白已经没有关系了。

过去，人们主要从大豆中获取豆油，去除了豆油的残渣则用来做动物饲料。现代工业对这些残渣进行深加工，而得到大豆蛋白产品。直接把残渣磨碎成为"大豆面粉"，大概含有50%的蛋白质，其他成分是碳水化合物；去除了部分碳水化合物（主要是糖类）的产品称为"浓缩大豆蛋白"，蛋白质含量在65%以上，其他成分主要是纤维；市场上的"大豆蛋白粉"蛋白质含量在90%以上，去除了脂肪和几乎所有的糖，大豆特有的豆味也基本去掉了。

大豆蛋白产业在近年来取得了很大的发展，全球销售额大约有几十亿美元。大豆蛋白也是一种优质的蛋白，能够有效地满足人体对于蛋白质的需求。但是，它毕竟只是一种食品原料，不是神奇的保健品。世界上最大的几个大豆蛋白生产商，没有一个把大豆蛋白当做保健品来开发销售，而主要将它作为原料开发配方食品和饮料。目前大豆蛋白最大的市场就是加到饮料和肉中取代一部分动物蛋白，比如火腿肠、饮料、汉堡等等。这些产品的卖点，关键在于降低了成品的价格，另一方面才是对于健康的好处（诸如不含胆固醇、脂肪含量低、热量低之类）。

大豆蛋白粉的生产成本很低，比牛奶蛋白粉、鸡蛋蛋白粉要低得多。美国市场上一磅（454克）装的大豆蛋白粉售价多在十美元以下，大包装的更加便宜。考虑到美国的物价（鸡腿一磅一美元多一点儿，上好的牛肉一磅四美元左右，豆腐一盒一美元左右），蛋白粉的这个价格实在算不上贵。可以认为，大豆蛋白粉在国内的热销，主要是炒作、忽悠的结果。由于劳动力的优势，国内生产的大豆蛋白粉成本应该更低。而所谓"进口优质蛋白粉"，可能在溶解性能等物理方面有一些优势，在功能上也不会有什么特别之处。

总而言之，大豆蛋白的确是一种很好的食品，但是它不能提供保健功能，也并不比喝豆浆、吃豆腐有更多的好处。其他的蛋白粉，比如乳清蛋白粉、酪蛋白粉、鸡蛋蛋白粉，也仅仅是好的食品而不会具有保健功能，不会比牛奶、鸡蛋多出一些神奇之处。这些蛋白粉，价格很高、包装精美，除非钱太多需要显示消费层次（就像追逐哈根达斯、星巴克一样），否则实在是没有必要去赶这个时髦。

方便面中应该含有多少蛋白质

　　主管部门说：我们要保证食品的营养，所以要规定方便面里的蛋白质含量；生产厂家说：我们的"高端"方便面用的是低蛋白的面粉，蛋白质含量的规定阻碍了"高端"产品的发展；消费者说：方便面里的蛋白质含量比牛奶的还高？黑心厂家会不会往里加三聚氰胺？那么，方便面里到底应该含有多少蛋白质呢？

面粉中的蛋白质营养价值很低

　　不管是牛肉面、鲜虾面还是排骨面、鸡汤面，方便面里的蛋白质主要还是来源于面粉。虽然面粉都来自小麦，但是通过不同的加工工艺而获得的面粉，其蛋白质含量有一定的差异。全粉是所有能够从小麦中取出的面粉，蛋白质含量在13%～15%，从其中分离出来的高档面粉"粉心粉"，蛋白质含量大概在11%～13%，而剩下的"清粉"则可能高达17%。根据蛋白质含量的不同，面粉通常被分为"高筋"、"中筋"和"低筋"，其中高筋面粉的蛋白质含量可达14%，而用来烤蛋糕的低筋面粉可能只有8%。

　　面粉中的蛋白质主要是通常所说的"面筋蛋白"，它的氨基酸组成跟人体的需求相差很大。比如说，人体需要的赖氨酸它含得很少，而它富含的那些，人体却又要不了那么多。在食品科学上，人们用"蛋白质消化率校正计分"来表示一种蛋白质满足人体需求的效率。鸡蛋

蛋白、牛奶蛋白、纯化的大豆蛋白最好，得分为1，而面筋蛋白只有
0.25。也就是说，如果只吃一种蛋白质的话，为了满足人体的氨基酸
需求，所需要的面筋蛋白将会是上述几种"优质蛋白"的四倍。另一
方面，面筋蛋白是一种过敏原，大约有1%的人对它过敏，所以有一
些食品甚至以"不含面筋蛋白"为卖点。面筋蛋白因此被当做"劣质
蛋白"，在配方食品中几乎不被当做蛋白质的来源。

面筋蛋白在食品中的作用主要是功能性的而不是营养性的。不含
面筋蛋白的面粉主要就是淀粉，无法产生"韧性"——也就是我们通
常所说的"筋道"。蛋糕远不如面包"筋道"，就是因为蛋糕粉中的面
筋蛋白远远低于面包粉的。

方便面的成本与蛋白质含量没有必然联系

方便面除了油炸干燥的那种类型含有很多油之外，其营养成分与
传统的面条并没有本质差异。传统面条可以用各种面粉来做，方便面
也可以。一方面，这些不同的面粉中的蛋白质含量可能不同；另一方
面，面粉之外的成分（主要是油）的含量也有所不同，这样，成品方便
面的蛋白质含量就有了比较大的差异。既然面粉的蛋白质含量并不是
衡量面粉品质的标准（"粉心粉"是最好、最贵的面粉，其蛋白质含量
甚至要低一些），方便面的成本也就跟蛋白质含量基本上没有什么关
系。对于厂家所宣称的"高端"方便面，如果基于加工性能或者口感
色泽的考虑加入淀粉的话，蛋白质含量下降了，成本却要增加。

方便面中应该含有多少蛋白质

无论是方便面、馒头、面包，还是传统的面条、烧饼，其中的蛋
白质都不是人体蛋白质的主要来源，它们主要都只是提供碳水化合物。
无论规定其中的蛋白质含量应该是多少都没有太大的意义——如果长

期单一地依靠这些食物，即使是高筋面粉，也同样会造成蛋白质不足的"营养不良"；如果考虑食谱的全面均衡，不含蛋白质的淀粉同样可以作出很大的贡献。

国家标准与三聚氰胺疑虑

热议的方便面国家标准中要求蛋白质含量不低于8%，应该说这个含量并不难实现。有的消费者担心这个含量差不多是牛奶中蛋白质含量的三倍，会不会导致黑心厂家加入三聚氰胺之类的东西来牟利。这个疑虑基本上没有必要。牛奶中的固体含量只有百分之十几，其他的都是水。三聚氰胺加到牛奶里，可以把不要钱的水变成牛奶的价格。而方便面中，面粉是最便宜的原料，甚至价格便宜的面粉中蛋白质含量还要高一些。所以，一般的方便面中加入三聚氰胺无助于厂家牟利。如果那些所谓的"高端"方便面加入了淀粉而导致蛋白质含量下降，又非要显示"高"蛋白含量的话，倒是有理论上的可能。不过，既然是"高端"产品，自然也就是高价。通过合理配方，比如加入外来蛋白；或者改进工艺，比如减少油的吸收吸附，也并不难满足"国家标准"的要求。

基于面食中蛋白质的营养价值和含量，强制性规定蛋白质含量并没有太大的必要，反倒容易误导消费者以为方便面"富含"蛋白质。不如强制性要求标明蛋白质、油、碳水化合物以及盐等主要添加剂的含量，而不是简单地给一个"合格"还是"不合格"的标签。就促进行业健康发展而言，保证产品的内容与厂家的宣称相一致，是更难、但更有意义的事情。

 发面发面

面粉的主要成分是淀粉和蛋白质，其中最重要的一种蛋白质叫做"gluten"，有人把它称为"面筋蛋白"或者"谷胶蛋白"。面团、面条"筋道"不"筋道"，主要取决于这种蛋白。从蛋白质营养的角度来说，这种蛋白质量不高（关于蛋白质的质量问题，参见《优质蛋白就该多吃吗》）。它的可爱之处在于，它不溶于水，但是吸水之后膨胀互相勾肩搭背形成一个网状结构，淀粉分子就被网在这样的一个网络中。这样，一个地方受到外力入侵被拉动的时候，别的地方就能够作出反应，就像"村与村，户与户，地道连成片"。宏观来看，这就是"筋道"。而米粉就缺乏这样的结构，微观上的淀粉分子各自为政，一处受到侵略，别处立即与它划清界限。包元宵跟包饺子完全不同，就是这个原因。

再说馒头，在蒸之前里面有了许多小气泡，在蒸的过程中，这些气泡受热胀大，如果没有什么力量让它们乖乖待着的话，他们自我膨胀的结果就是跑出馒头，或者说毁灭自己。上面所说的"gluten"在这里扮演了反面角色，它们牺牲了自己，把自己变性固化，阻挡了寻找自由的气泡们的进一步膨胀，不让它们脱离控制。当馒头蒸好、温度降低之后，它们已经"化做了山脉"，而气泡们也就永远被"画地为牢"了。这就是蒸好的馒头膨胀之后并不会缩回去的原因。

现在来说发面的问题。传统上的发面是用面起子，或者叫做老面、酵头之类。它的成分是一些酵母菌，当然，这样保存的酵母菌活性可

能不高，而且会有一些杂菌。这些菌在生长代谢过程中产生二氧化碳，同时产生酸性物质增加了面团的酸性，在揉面的时候，人们加入一些纯碱来中和这些酸性物质。纯碱是碳酸钠，遇酸产生二氧化碳，而发面过程中已经有一些二氧化碳了，揉面的过程就是让这些二氧化碳分布均匀的过程。

在现代社会，大家发面用的更多的是酵母粉。商品化的酵母粉活性好、纯度高，发面很快，而且不怎么产生酸性物质，揉面的时候也不用再加碱。相对于用碱中和酸产生二氧化碳气泡，酵母粉中的酵母菌在生长过程中利用淀粉中的糖分代谢产生二氧化碳。这样会产生两个问题：一方面，可能消耗掉比较多的糖分，是否会改变口味？另一方面，这种快速、大量产生的二氧化碳气泡大小不均，在面团中的分布也不是那么均匀，因为不用碱，大家可能不一定会花那么长的时间去揉，从而无法让二氧化碳气泡分布均匀。也有人说，酵母菌会给馒头带来一种特别的香味，这就是个人的喜好了。

西方的面食有很多是烤的，经常直接用所谓的"baking powder"，有人翻译成泡打粉。其主要成分是小苏打以及其他一些化学试剂。小苏打是碳酸氢钠，受热就能产生二氧化碳。中国食品中也有人使用小苏打做馒头，不用发面都行。这样产生的气泡细小而均匀。但是，气泡的量由加入的小苏打的量来决定。加少了气泡不多，加多了产生气泡之后留下的碳酸钠很影响口味。

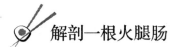

解剖一根火腿肠

如果把香肠当做火腿肠的祖先，那么火腿肠的历史已经有几千年了。据说，在《荷马史诗》里就有香肠的记载。不过，现在我们吃到的火腿肠与香肠的差别已经很大了——原料基本相同，但是加工过程相去甚远，因而口感、味道也就相当不同了。

在食品工程里，火腿肠属于一种被称为"乳化肉"的体系——它的关键是把脂肪打成细小的颗粒，然后均匀地分布在整个肠内。所以，单凭肉眼，几乎无法分辨出它里面的脂肪——通俗地说是肥肉——是多还是少。为了让这些脂肪均匀分散，就要把瘦肉中的蛋白质提取出来，作为乳化剂去稳定"磨碎"的脂肪颗粒。蛋白质的提取不是件容易的事情，通常把瘦肉"打成"肉酱，在很高的盐浓度下才能提取出较多的蛋白质。所以，火腿肠总是很咸，这是无法避免的问题。提取到水中的蛋白质一部分吸附在脂肪颗粒的表面，用来防止脂肪颗粒重新融合，其他的则保留在水中，在加热的时候互相交联，形成一种互相连接的网状结构。没有溶解到水中的纤维组织以及蛋白质网状结构把脂肪颗粒固定下来，就形成了火腿肠特有的质感。火腿肠的口感好坏，就取决于这种胶状结构的强度大小。

严格来说，最简单的火腿肠只要瘦肉和盐就可以了。在实际生产中，人们还是希望加入肥肉，肥肉有助于保留许多只能在脂肪中稳定存在的维生素以及香味物质。但是，太多的肥肉又不受欢迎。首先，

espresso

品贵的不是泡沫，是情调……

不够健康——大家都不喜欢吃下过多的脂肪；其次，更多的脂肪就需要提取出更多的蛋白质来吸附，但是肥肉多了瘦肉的量就相应变少了，这会使得形成的胶状结构强度降低，吃起来口感就差了。另外，现代火腿肠的生产中还会加入一些植物成分，比如大豆蛋白和淀粉等。大豆蛋白的加入有助于在保持蛋白质含量的前提下降低胆固醇的含量，具有增加营养和控制成本的双重优势。但是大豆蛋白的加入会影响最终产品的质感和口味，通常也不能加太多。火腿肠里加淀粉，跟传统的肉丸子里加淀粉一样，有助于降低成本，但是更加影响质感。国家标准就是按照蛋白质、脂肪和淀粉的含量来对火腿肠进行分级的，等级越高，含有的脂肪和淀粉就越少。由于有很多的盐，所以需要一些糖来降低咸味。其他的调味料就是各个厂家大显神通的地方了。

作为一种加工食品，保证安全是至关重要的一环。肉是很容易腐坏的食物，腐坏的生物学原因是细菌的生长。火腿肠含有细菌生长所需的各种养分，没有经过防腐处理的火腿肠是细菌的天堂。保护火腿肠不受细菌骚扰，首先要杜绝细菌种子混进来。火腿肠的原料中不可避免地混杂了一些细菌，在高温加热的时候它们受到"严打"，绝大多数被清除了。市场上所谓的"低温火腿肠"通常只加热到七十几摄氏度，这样可以获得不一样的风味，但是"严打"力度不够，漏网的细菌就较多一些。

对食品安全而言，生产只是第一步。无论如何，总还是有一些生命力非常顽强的细菌能够顶住灭菌过程的"严打"而潜伏下来。在加热之后的包装运输和保存过程中，细菌也还有机会偷偷地潜入火腿肠中，一旦环境适合，就开始繁衍生息。所以，人们对细菌的战斗不得不延续到吃进肚子之前。完好有效的包装可以防止外部的细菌侵入，而对内部残存的细菌就只能控制它们的生长环境了。前面说提取蛋白质的时候需要很高的盐浓度，其实高盐环境也有助于遏制细菌生长；低温是另一种控制细菌生长的有效手段，尤其是那些灭菌不完全的低温产品——低温产品提供的风味必须以更严格的保存条件作为代价。

但是细菌的生命力实在太强了。即使在这样的围追堵截之下，它们也只是"开枝散叶"得慢一些，而不会完全消停下来。为了对它们进行更严厉的打击，人们只好动用"化学武器"——防腐剂。防腐剂让细菌生存的环境大大恶化，从而有效地延长火腿肠的保质期。

防腐剂能杀死细菌，对于人体自然也可能有潜在的危害。这也是人们对于加工食品最为关注的地方。食品科学家们不断寻找能够有效防止细菌生长，在特定的使用浓度下对人体又没有明显危害的防腐剂。目前火腿肠中可以合法使用的防腐剂是亚硝酸钠（亚硝酸盐的一种）。过多摄入这种物质能导致急性中毒，一些食物中毒的案例就是腌制不合格的酸菜中的亚硝酸盐含量过多导致的。亚硝酸盐也被认为是一种致癌因素。不过它本身并不致癌，而是在酸性环境中可以与胺类物质反应生成亚硝胺，后者才是一种致癌物。

不过，合格火腿肠中的亚硝酸盐并不值得担心。硝酸盐广泛存在于自然界中，许多蔬菜中的硝酸盐也有机会转化成为亚硝酸盐。对于亚硝酸盐如何影响人体健康，人类已经进行了大量的科学研究。根据这些科研结果，少量亚硝酸盐对人体健康并不构成威胁。美国规定亚硝酸钠在肉类食品中的最大允许用量是 200ppm（ppm 是百万分之一），也就是说，FDA 认为肉中的亚硝酸盐在 200ppm 以下还是安全的。中国的标准比这个要严得多，是 30ppm。所以可以认为，只要是检测合格的火腿肠，防腐剂的影响是可以忽略的。

有一些研究发现，亚硝酸盐在和胺反应的时候，如果存在维生素 C 或者维生素 E，就会与它们优先反应，而不生成有害的亚硝胺。所以，有的肉类加工中会加入这些维生素，来减小亚硝酸盐可能产生的副作用。其实，不管这种做法有多大效果，在吃这些食物的同时吃一些蔬菜水果，都是大有裨益的。

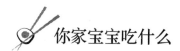

你家宝宝吃什么

我家小姑娘长得很健壮，出生的时候体重、身长在新生女婴中还只分别处于 50% 和 25% 左右的位置，三个月之后就上升到了 90% 和 75% 以上。在 1 岁上托儿所之前，几乎没有生过病。运动能力也发育得很早，六个半月就会爬，十个月就会走。碰巧她父母一个是研究食品的，一个在食品营养系读博士，于是亲戚朋友们总是问："她到底吃的是什么高营养的食物？"我们实话实说的结果却总是招来白眼："不愿说就算了，何必骗我们……"

虽然很冤，却无从辩驳。小姑娘长得健壮，未必就跟如何喂有多密切的关系。我们是遵循现代食品营养理论的，只是这些理论和做法与中国父母的许多想法相去甚远，大家不愿意相信而已。

母乳对配方奶，没有悬念的 PK

不知道从什么时候开始，许多人开始用婴儿配方奶给宝宝"补充营养"。面对奶粉公司铺天盖地的宣传，似乎不买配方奶就不是合格的父母，越贵的奶粉好像就越有营养。

其实，大多数的宝宝根本用不着婴儿奶粉。婴儿奶粉是没有母乳情况下的一种无奈选择。它是尽量模仿母乳而制造出来的，利用现代分析技术，辨认出母乳中的各种营养成分，从含量很高的蛋白质、脂肪和碳水化合物，到极其微量的维生素、矿物质等等，然后以牛奶为基础，补充、增加或者减少各种成分，使之接近母乳。对母乳和牛奶的认识越深入，模仿得就越像。目前，已经明确的母乳中的营养成分有三十多种，这也成为婴儿配方奶的生产指标。

大多数的婴儿配方奶是以牛奶为基础的，但是最后的成品却与牛奶的差别非常大。比如，牛奶中含有大量的蛋白质、钠盐、钾盐，远远超过婴儿所需的浓度，就要降低；而脂肪、碳水化合物以及铁等微量元素则不够，就需要补充。所以，用"绿色"、"天然"的牛奶喂养婴儿是不行的，其他动物的奶就差得更远了。像小说中那样找头狼或者鹿、老虎什么的来哺乳婴儿，不但不会养出一个强壮有力的天才，反而会造成营养不良。

尽管婴儿配方奶已经被改造得与牛奶相差很大了，但毕竟是脱胎于牛奶，所以仍保留着牛奶中导致过敏的成分。有的宝宝天生对牛奶过敏，对基于牛奶的配方奶也无法消受，比较严重的还会出现呕吐、拉稀等症状。对于这样的宝宝，做父母的只能选择基于大豆蛋白的配方奶来喂养。就为婴儿提供营养来说，这两种配方奶没有太大的区别。相对而言，基于大豆的配方奶中的蛋白质和钙没有基于牛奶的配方奶中的容易消化吸收，所以，FDA(美国食品和药物管理局)推荐优先选择基于牛奶的配方奶，对于牛奶过敏的婴儿才选择基于大豆的配方奶。在美国市场上，前者的市场占有率是80%左右，而后者大概有20%的婴儿食用。

不难看出，无论婴儿配方奶做得有多好，卖得有多贵，宣传得有多邪乎，它最多也只是个"模仿秀冠军"，永远不可能超越它模仿的对象。FDA对配方奶的指导意见是"第二好，但是已经足够(second best but good enough)"，就是说它不是最好的，只是也不错了。即便是世界上最著名的婴儿配方奶公司，也不敢去挑战这个说法，所以他们的官方宣传只是说"母乳是最好的，如果你无法喂母乳，那么我们的产品是最好的"。

第二好的是配方奶，最好的当然就是母乳了。母乳中含有婴儿所需的所有营养，而且没有过敏不耐受的问题。目前主流的观点是，母乳喂养最好到周岁，有的甚至提倡更长的时间。对于婴儿食品来说，母乳才是王道。在婴儿配方奶与母乳的 PK 中，母乳永远是胜利者。

上班族，如何坚持母乳喂养

许多人热衷于拿婴儿奶粉喂宝宝，除了迷信高级的婴儿奶粉中含有"超级营养"之外，也有很多上班族是因为觉得母乳喂养不方便。毕竟，大家既不能带着宝宝去上班，也不能上班时中途跑回家喂奶。

其实母乳喂养并不一定要抱着宝宝让他（她）吸，把奶泵出来喂是完全可以的。一般来说，泵出来的奶如果装在无菌的储存袋里，在室温下可以保存几个小时。如果放在冰箱中的冷藏室(4℃)保鲜，则可以放上几天。如果放在冷冻室的话，放上几周甚至两三个月也没问题。如果用的不是一次性无菌储存袋，那么要注意保持奶瓶的清洁(每次用完洗干净晾干，隔几天就用开水煮五分钟)，尽快冷藏尽快用掉。据统计，多数人熟练使用合适的奶泵之后，只需要十五分钟就可以泵好奶，而一天泵上一两次就可以了。虽然这不如喂配方奶粉省事，但是考虑到母乳给宝宝带来的好处以及可以省下的钱，费点儿事还是值得的。

人们可能会被保存之后的母乳吓着：这玩意儿还能给孩子吃吗？确实，泵出来的母乳很快会分层，有时候颜色还会有轻微的变化，这都是正常的。母乳中含有大量的脂肪，形成的颗粒比较大，因为比水轻，所以会很快浮到水面，喂养时只要摇匀就可以了。

添加辅食，并非为了营养

在中国传统里，有条件的人家是从襁褓时就开始给宝宝"进补"。

在今天，大多数父母仍然觉得"奶水就是水，没有营养"，所以总是尽量早地给宝宝喂鸡蛋、鱼汤、鱼油、肝粉、蜂蜜等"有营养"的食物。在国外的儿医看来，这是不可思议、难以理解甚至非常危险的事情。婴儿的消化系统要在4～6个月后才能发育完善，免疫系统、肾脏的发育还比较脆弱，给婴儿喂这些食物，不但可能无法被消化吸收，反而会损伤婴儿幼嫩的身体。

按照国际学术界的主流观点，1岁以前的婴儿生长所需的营养成分应该主要来自于母乳或者配方奶。添加辅食并非为了"补充营养"，而是让婴儿逐渐适应固体食物。"我家宝宝开始吃什么什么了"绝不是发育好坏的标志，也不值得炫耀。辅食的添加并非越早越好，美国的儿医认为可以开始喂辅食的标志是：一、体重超过出生时的两倍并且大于13磅（1磅是454克）；二、每天吃奶量超过32盎司（1盎司约30毫升）；三、脖子能够支持脑袋。有的宝宝四个多月可以达到这样的状态，有的宝宝则要六个月甚至七个月才能达到。开始添加辅食时需要非常小心而且应当循序渐进，通常从添加婴儿米粉开始。米粉是碳水化合物，容易消化，而且几乎没有已知的过敏原。婴儿米粉通常是加了铁等微量元素的，所以更加合适。每天喂一点点，过上一周左右没有发现不良反应，才开始加下一种辅食。最初添加的食物都是捣碎的蔬菜或者水果，这些东西过敏原少、容易消化。一般来说，添加一种，至少连续几天没有不良反应才加下一种。

在宝宝1岁以前，基本上不加肉类、鸡蛋，而且也不能喂太多的辅食，要保证宝宝喝足够的奶。到了六七个月，可以开始给宝宝一些小块的蔬菜或水果，让他（她）自己抓起来吃，称为"finger food"（手指食物）。现在很多婴儿食品公司生产一些以碳水化合物为主的"finger food"，正好适合婴儿的小手指拿，放进嘴里即使不嚼也能溶化掉。能够用自己的手指把"finger food"放到嘴里，是宝宝发育过程中的重要里程碑。

到了八九个月之后，可以让宝宝跟大人一起在桌子上吃饭了。国外的儿医认为，让宝宝看着大人吃饭有助于他们模仿吃饭的动作。也可以给他们一些比较软的小块食物，让他们抓着吃。不是为了让他们吃饱，而是促进手、眼、口腔咀嚼和吞咽的发育。

宝宝 1 岁以后，便可以吃大人吃的绝大多数食物了，当然，还是要坚持喝奶。传统的观念认为 1～2 岁的宝宝应该喝全脂牛奶，不过最近，FDA 面对婴儿肥胖逐渐增多的现象，建议体重太大的宝宝也可以喝含脂肪 2% 的低脂牛奶。牛奶并不是什么神奇的食物，它只是在提供蛋白质和钙的方面很方便有效。至于其他成分，并不比别的食物更有优势。所以，如果宝宝对牛奶过敏或者不喜欢喝牛奶，也不是什么大不了的事情。完全可以给他喂豆奶甚至鸡肉等蛋白质含量高的食物，同时注意多吃一些含钙高的食物，比如菠菜、西兰花、橘子等等。现在商业化生产的豆奶一般都已经加了足够的钙，也是很好的牛奶替代品。

基于"不让孩子输在起跑线上"的信念，许多父母攀比着给宝宝补充营养。在商家和某些医生的推波助澜之下，各种婴儿保健品层出不穷。但是，良好的愿望未必带来所期望的结果。家长们想的是让宝宝长得更好，结果却可能是增加了他（她）幼嫩身体的负担。

BLW，让宝宝自己做主

对于婴儿辅食的添加，国外越来越流行一种"BLW"的理念。BLW是"baby led weaning"的缩写，意思是宝宝主导的断奶。它是让宝宝自己主导从喝奶逐渐自然过渡到进食固体食物的过程。这个理念的核心是让宝宝自己决定什么时候开始吃固体食物、吃什么以及吃多少。

世界卫生组织（WHO）认为固体食物的提供应该在婴儿六个月之后才

开始。在这个时候，婴儿的消化系统基本发育完善了。BLW 与传统的辅食添加过程的区别在于完全没有喂泥状食物的阶段，而是一开始就提供 "finger food"。也不会帮助宝宝把食物放进嘴里，而是让他们自己去尝试。让宝宝自己去探索食物的颜色、气味、味道、质感，给他们机会按照自己的发育状况去选择食物，也有助于宝宝身体各部分的协调发育，比如手和眼的配合，比如咀嚼。

与人们的直觉相反，科学观察发现让宝宝自己尝试块状的 "finger food" 比大人用勺喂泥状食物更加安全。一方面，如果宝宝没有学会咀嚼，他（她）就不能把食物送到口腔后部，所以也就不会噎着。另一方面，如果宝宝没有学会用手指把食物放进嘴里，那么他（她）也就还没有能力处理放进嘴里的食物。这时候，"喂" 给他们的食物反倒是不安全的。

不过，BLW 看起来省事，其实父母要付出更多的劳动。第一，要把食物做成大小适中、宝宝的小手指能够抓住的形状，比如条状，但是又要软，即使没有牙也能咀嚼；第二，会浪费掉很多食物，你无法知道他（她）想吃什么，会吃多少，没有吃掉的食物也不应该用勺来喂，你给他（她）的食物可能大多数不会进到他（她）的嘴里；第三，吃的时间会很长，而且弄得一团糟，基本上是吃一次就弄脏一身衣服；第四，大一点儿的宝宝可以给他（她）勺让他（她）自己吃，但是你得允许他（她）把食物弄得到处都是，就是放不进嘴里。

在 BLW 的做法里，宝宝吃的固体食物依然不是主要的营养成分来源，而只是适应固体食物的过程。虽然提供的食物也要注意营养成分的均衡，但是生长所需的营养依然要靠母乳或者配方奶来提供。

婴儿营养的核心：全面与均衡

我们经常在谈论 "营养"，每个人都想给宝宝 "最好的营养"。但是"营养"实在是一个很模糊的概念，基本上不能用"好"还是"不好"，或者"高"还是"低"这样简单的词来形容。人体需要的，食物能够提供，就是"有营养"；反之，人体不需要的，不管什么样的好东西，都应该认为"营养不好"。比如对于成人来说，高脂肪低蛋白的食物被认为是垃圾食品、营养不好，但是婴儿却正需要这样的食物。牛奶中3%的蛋白、3.6%的脂肪被成人认为"脂肪太多"，但是婴儿需要的却是蛋白质不到1%、脂肪却多达3%～5%的奶。婴儿所需的热量，至少有一半来自于脂肪。所以，有的父母给宝宝喂鱼肉、鸡肉等高蛋白食物，其实跟喂蛋白质不足的奶粉一样，都是不利于宝宝生长发育的。

　　婴儿的营养，不在于某种特定成分的多少，而在于营养成分的全面和均衡。人体是一个非常复杂的体系，尽管科学已经相当发达，对于婴儿的生长发育所需要的全部成分和数量认识依然有限，所有的科学推荐，都只是盲人摸象。而有很多的所谓"婴儿保健品"，本身还缺乏足够的科学依据来支持其对于婴儿生长发育的必要性和有效性，比如益生菌、钙制剂、鱼油等等。反倒是这些"保健品"所带来的潜在问题是不容忽视的。打个比方说，糖果纸里可能包着糖果，也有很大的可能包着黄连，而规定你只能闭着眼睛吃下去。为了吃到美味的糖果，或许有人愿意去冒吃到黄连的风险。但是，对于婴儿来说，冒险失败的后果可能太过严重，还是尽量避免的好。

　　一言以蔽之，宝宝并不需要特别的营养。他们生长发育所需的所有营养成分，都可以从普通的食品中获得。那些"特别好"、"非常有用"的"秘方"，可能会含有大量的某些有用成分。但是，有用的成分并非越多越好，而且在引入这些成分的同时很可能引入了不必要甚至有害的成分。任何不必要甚至有害的成分，对于宝宝的发育都可能是伤害。比如盐和糖的存在，就会增加宝宝肾脏的负担。再比如，国内很流行用肝粉给婴儿补铁，也是一个非常糟糕的典型。肝粉中含有比较多的铁，婴儿也确实需要铁。但是肝是动物身上毒素沉积最多的部位，在给婴儿喂肝粉补铁的同时也可能带入许多别的有毒成分。成人的肝脏有足够的能力清除这些毒素，但是婴儿的肝脏能否承受这样的负担？这就像含有三聚氰胺的奶制品成人吃了没事，婴儿吃了就后果很严重一样。

 聚 议 厅

Maybeme：

　　母乳喂养到 1 周岁？现在有几个妈妈能做到啊！云无心家的闺女啥时候断的奶？

云无心：

　　能不能做到和想不想去做是两回事。我家孩子她娘产后第五周就回实验室了，她每天在实验室的时间是十个小时以上，所以都是把奶泵出来带回家喂的。坚持到了十个半月，实在泵不出来了，不得不断掉。我认识的上班、上学的妈妈们都是这样喂的。

睡觉的树：

　　我家宝宝最开始没有母乳吃，后来我坚持让她吸，终于吸出来了。吸奶器还是很有好处的，关键的问题是我家宝宝吸了我的奶后，我要出去办事情，再用奶瓶装母乳喂养她，她就不接受奶嘴了，我周围很多母乳喂养的都有这个问题。另外，我家宝宝白天需要抱着睡觉，晚上倒是睡床的，这个问题怎么解决呢？

云无心：

　　这是泵奶喂的宝宝最常见的问题。我不知道别人是怎么解决的，我家小姑娘是从来不吸奶头的。即使她妈妈就在旁边，她也要泵出来用奶瓶喝。睡觉的问题我没在意，我家小姑娘小时候是任何时候抱着睡着了就可以放到床上。美国父母一般是让孩子从小在床上睡着，不睡就由他(她)哭，几次以后就好了。他们把这个过程叫做"cry out"，中国的父母一般下不了这个狠心。

睡觉的树：

哦，另外请教楼主，能否具体介绍一下你们是怎么给孩子添加辅食的？还有孩子枕秃、白天睡觉易惊醒，需要补钙吗？是不是最好先去医生那里检查一下，抽个指尖血，做个微量元素检测再决定是否补哪些东西？想请你给个建议。

云无心：

关于添加辅食，你可以参考上述文章，儿科和医学都不在我熟悉的知识领域之内，我只能告诉你我接触到的知识。关于枕秃，好像国内的通行做法(不清楚教科书上是不是)是补钙。我家小姑娘几个月的时候也枕秃，我们问儿医是不是该补钙，儿医说："吃母乳或者配方奶的孩子怎么可能缺钙？"我们就没管，过了几个月她的头发就长齐了。

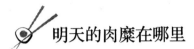 明天的肉糜在哪里

记得在一部很老的电影里，村长对乡亲们说："等到实现了共产主义，就可以每天吃上猪肉炖粉条了。"尽管素食主义的呼声一浪高过一浪，人们对于肉的追求还是占了主流。晋惠帝的名言"何不食肉糜"之所以可笑，是因为肉糜是富足生活的标志，如果说"何不食小米"，大概也就不会贻笑千年了。所以，很容易理解全世界的肉类需求量为什么越来越大：一方面是人口的不断增长；另一方面，能够"每天吃猪肉炖粉条"的人越来越多了。比如，1985 年中国的年人均肉类消耗量为 20 公斤，到了 2006 年，这一数字上升到了 50 公斤。

从整个地球能量转化的角度来看，所有的肉类都来自于太阳：植物依靠阳光生长，动物吃植物生长，人类从动物身上获取肉。虽然说这个过程是"可持续发展的"，但是，地球上的土地是有限的，能够生长的植物是有限的，因而能够供养的动物也是有限的。人类的人口和胃口在不断地增长，地球能够提供足够的肉来满足人类"日益增长的肉类需求"吗？在全球粮食价格持续上涨的大趋势面前，肉类的供求关系必然趋向紧张。素食主义者们大可以号召人们不吃肉，可是对于爱吃肉的人们来说，明天的肉糜又在哪里呢？

出路之一：提高植物、动物的生产效率

人们很难增加耕地的面积，耕地实际上是在不可避免地减少，但

是人们可以种植高效的作物。无论是传统的杂交育种还是新兴的转基因技术，都是为了让人们在同样大的地球上种植出更多的植物来。

粮食产量提高了，自然就可以喂养更多的动物；另一方面，人们还可以提高动物产肉、产奶的效率；再次，现在生物技术改良的品种以及更加合理高效的饲料，使饲料转化为肉、蛋、奶的效率大大提高。当猪的出栏时间从一年降到半年，鸡的生长期从六个月缩短到三个月，肉的产率就可能大幅度地提高。

问题是，这种方式面临着无数的批评和疑虑。新技术的安全性是永恒的话题，无论有多少科学依据，人们还是会怀疑"没有发现危险并不代表着没有风险"。另一方面，无论生物技术如何先进，动物都只能把植物中很少的一部分营养成分转化成肉。产出一公斤的肉，就需要几公斤的饲料（对于牛肉来说大概是八公斤左右），水的消耗量也是生产一公斤植物蛋白的几倍。换句话说，这种方式可能达到的效率依然不高。

出路之二：植物蛋白合成肉

肉的最主要成分是蛋白质，植物中也含有很多蛋白质。如果能够直接把植物蛋白变成"肉"，那么肉的生产效率无疑就会提高很多。目前，植物生产蛋白质效率最高的是大豆，所以用植物蛋白来"制造"肉的尝试，基本上都集中于大豆蛋白。

在大豆蛋白中加入一些有黏结作用的食物成分，再经过挤压成型，可以获得与大豆蛋白的本来形态完全不同的东西。它可以加到肉里取代一部分瘦肉。这样的东西具有和瘦肉类似的蛋白质含量和氨基酸组成。因为来源于植物，所以不含有脂肪和胆固醇。从这个意义上说，甚至比真正的肉更优越，它的口感也接近肉，但是，要把它称为"肉替代品"还是非常勉强，它的味道跟肉的实在相差太大。所以，所谓的"替代"，只是接近了肉的口感，达到或者超越了肉的营养价值而已。在其他方面，则还很欠缺。

这样的产品在一开始以"素肉"的名义来推销，结果相当失败。当人们看到"素肉"二字，想当然地认为把它当做肉来烹饪就行了。当结果与期望相去甚远，这个产品也就被打入了"冷宫"。在北美市场，"替代肉"这个概念只在开发人员和经销商之间存在，它的商品名称是一个完全新造的词。开发人员需要针对具体的食品，开发新的配方，从而避免口味上的问题。比如说，在一个替代金枪鱼的应用中，差不多一半的鱼肉被这种产品所替代，然后加入了适当的色素和香料。最后，当顾客在超市里发现一种便宜的金枪鱼罐头，买来一吃，发现也不错，不明白为什么便宜，去看说明的时候才发现原来是用植物蛋白替代了一部分鱼肉。

因为用植物成分替代了一部分肉，降低了食物中的脂肪和胆固醇，也降低了热量，这对于很大一部分人有着相当大的吸引力。在北美，这种植物成分替代肉的应用有了不少成功的例子，比如汉堡、火腿肠、鸡肉丸子、牛肉烧烤等等。而中国人更习惯于自己在家做饭，类似的产品往往以"素肉"的名义直接卖给顾客，但顾客很难做出色、香、味接近真正的肉的食物来，所以往往也就浅尝辄止了。

在肉类价格全球性地上涨、并且很难逆转的现实面前，用植物成分来替代肉提供了一条缓解需求的旁门小道。它不能满足挑剔的食客的要求，但是对于不排斥"非传统食物"、也不那么执著于"天然味道"的人来说，也还是一个不错的选择。

出路之三：不长动物只长肉

在组织培养技术、干细胞技术得到飞速发展的今天，可不可以直接由细胞长出肉来呢？这样的想法首先来自于美国宇航局。在宇航员飞向遥远星球的漫长旅途中，天天吃罐头也不是个事儿。在宇宙飞船里养几只小猪、小鸡大概也不现实，所以不长动物只长肉的"人造肉"想法浮出了水面。

2001 年，美国人和荷兰人各自申请了"人造肉"的专利。他们通过培养肌肉细胞，然后让细胞附着在一些能吃的基质表面，从而得到"肉"。这样生产的肉没有微生物的污染，也就用不着抗生素之类的在常规饲养中受人诟病的东西。同时，这种方式不产生粪便、废气等污染环境的垃圾，蛋白质转化的效率也大大提高。

作为科学概念和实验尝试而言，"人造肉"是成功的。对于提高肉类生产效率和减轻环境压力，这个实验也描绘了一幅美丽的图画。不过，它面临的挑战依然很大：

首先，这样生产出来的"肉"跟常规的肉还是有相当大的差异的。比如说，因为没有血管，无法输送养分，所以长出来的肉只会有薄薄的一层，只有把这些薄薄的"肉层"堆起来，才能得到一块肉；或者，直接把这些"肉层"拿去做肉馅之类。这些"肉"在营养成分上不难接近传统的肉，但是在色、香、味、形等方面却差异巨大。人们能否接受，依然很难说。

其次，生产成本能否降到与传统肉相竞争的地步是一个问题。虽然说营养成分的转化率大大提高了，但是对于培养液的要求也提高了。如何生产出经济实惠的培养液，也是需要解决的问题。

再次，安全问题。虽然在生产过程中没有致病细菌的污染，但是作为一种新的东西，也必须进行足够的安全性检验。

虽然问题很多，但是它毕竟是一条看起来可以走下去的路。对于动物福利主义者来说，这种方式避免了对动物的屠杀，显然要人道多了。所以，著名的动物福利组织 PETA 悬赏一百万美元，提供给在2012 年之前成功把人造鸡肉市场化的科学家。"成功"的要求是：

一、合成出味道和口感与常规鸡肉无差别的"人造鸡肉";二、被批准生产的"人造鸡肉"成功地在美国十个以上的州进行商业化的销售,其价格与常规鸡肉相当。

结语:多管齐下

就为人体提供营养成分来说,肉可以由高效的植物性食品来代替。但是,"吃饱"毕竟不是人们吃饭的唯一目的,口腹之欲经常超越了营养的需求。地球上的人口不可能不增长,人们不可能停止追求更多的享受。所以,对"肉"的需求就不可能停止。在可以预见的将来,这种需求只会越来越大。

人类粮食问题的解决没有一个一蹴而就的简单方案,只能多管齐下。肉的问题也是如此,开发推广美味的植物性蛋白食物,应用新兴技术提高养殖业的生产效率,甚至改变肉的生产方式,都是可以、而且应该努力的方向。

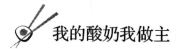 **我的酸奶我做主**

很多人不能喝牛奶——由于乳糖不耐受的问题，他们一喝牛奶就拉肚子。解决这个问题的方法是喝酸奶。那么，酸奶是如何被制造出来的呢？

酸奶大概是自己在家里能做的东西中最简单的了，跟"把大象关进冰箱"差不多：第一步，拿半桶喝剩的牛奶，打开瓶盖；第二步，加入几勺买来的酸奶作为菌种，摇匀；第三步，盖上盖子，放到房间里温度最高的地方，比如冬天的暖气片旁边之类。等到牛奶变黏倒出来，就是酸奶了。倒出来之后，桶内壁还粘有不少酸奶，直接往里加牛奶，连菌种都不用加了，摇一摇接着发酵。如此往复，至少可以做上三四次。等到菌种活性不行了，再从头来过。

现在来作专业分析。酸奶就是牛奶经过乳酸菌发酵而得到的食物，与牛奶相比，酸奶中含有大量有活性的乳酸菌及其代谢产物乳酸等等。在这个复杂的体系里，牛奶中的蛋白质发生了水解交联之类的变化，黏度激增，如果牛奶中的固含物足够多，就会变成半固体状。固含物不够多，就呈现黏稠的液体状，称为"可喝酸奶"（drinkable yogurt）。上面所说的是最简单的酸奶，"原生态"酸奶。纯正的酸奶，其实不怎么好喝。

自制酸奶的妙处当然是你想吃什么样的就做成什么样的。第一，牛奶要烧开灭菌（市场上出售的牛奶一般已经过高温处理，可以直接用了）；第二，若要做成半固体状的，那么牛奶中本来的固含物就不够了，可以加入一些奶粉，不过这个奶粉最好先溶在水里煮开一下；第三，发酵的菌种用一盒买来的酸奶就行，加多少无所谓，但会影响发酵时间；第四，密闭容器，最佳发酵温度是40℃，不过乳酸菌素来能吃苦耐劳，低到20℃高到50℃也没什么问题，只是发酵时间不一样。夏天的话，放在室外（比如阳台），就挺合适的。

完成发酵后，为了改善口味，可以加入糖（或者糖替代品）以及各种天然的（或者合成的）食用香精。配合口味，还可以加入相应的食品色，比如草莓味加点红色，香蕉味加点黄色等等。发酵时间是另一个重要因素，决定了酸奶的酸度以及口感。不过这种东西本来每个人的喜好就不一样，即使是受过训练的做"品尝评估"(sensory evaluation)的那些人，做出的评估也经常相去甚远，所以大可以"我的酸奶我做主"。

另外重要的一点是，究竟该用全脂牛奶还是用脱脂牛奶？许多科研成果表明，不只是酸奶，许多奶制品（比如牛奶、冰激凌）中的脂肪对于产品的口感有很大影响。一般来说，脂肪含量高的产品口感要好一些。由于绝大多数人倾向于低脂或者无脂产品，寻找脂肪替代品来实现相近的口感是食品科学家们现在很热衷做的事情。不过，每个人对于脂肪的接受量不一样（有的人不在乎从这里摄取一些脂肪）；另一方面，也不是每一个人都能吃出口感的差别来。所以，按照自己的喜好选择牛奶，也是自制酸奶的好处之一吧。

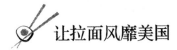 让拉面风靡美国

如果在美国的某个地方，有一种很好吃的牛肉拉面，即使是鸟不生蛋的阿拉斯加，或者冷得没什么人来的盐湖城，人们干的第一件事情，就是先给它起一个好听的名字，比如说"ABN"（阿拉斯加牛肉面）或者"SBN"（盐湖城牛肉面）之类，就像肯德基一样。这里就假设为ABN吧。然后注册为一个商标，把牛肉汤的配料、制作过程、和面拉面的技术以及商店的装潢布置全都保护起来，所以别人不能模仿生产。如果出现像中国当年"马兰拉面"和"马华拉面"的那种争端，解决起来也就变得非常简单了。

下一步，ABN会开一个个分店。他们很快发现，自己培训出来的拉面师傅在各个店里做出来的面的味道不一样。所以，总有客人抱怨，阿拉斯加总店的老师傅做出来的拉面的味道最好，到了纽约，新开店的师傅做出来的味道就不行。ABN高层立刻开会研究，迅速达成一致：目前的拉面技术已经严重不符合公司的发展需要，ABN不能告诉顾客"不是我们的拉面味道不好，而是你没有找对师傅"。为了解决拉面的技术问题，公司将投入所有利润并且追加投资进行拉面的标准化研究，目标是：任何新老师傅，经过短期培训之后，做出来的拉面将不会有普通顾客能够感受到的差别。于是，公司立刻成立"拉面研究中心"，雇来大批老的年轻的研究人员，老的是为了研究能够更快取得成果，年轻的是为了培养研究梯队，并且与多个著名大学的食品研究机构进

行合作。兵分两路，一路研究牛肉汤，一路研究拉面条。

对于牛肉汤来说，核心就是把牛肉的煮汤过程标准化。对于煮汤过程中涉及的每一个成分和步骤进行分析监控，确定它们对于牛肉汤的影响程度，最后确定监控参数和控制目标。在他们的研究中心里，最有经验的几个老师傅每天煮着牛肉汤；隔壁的实验室里，若干科研人员调节着各种仪器，也在煮着牛肉汤。前面的"品尝评估"实验室里，几十、上百个男女老少食客，在品尝着各种牛肉汤，然后给每一份牛肉汤的各个指标打分。评分结果收上来，若干统计人员用各种统计公式和模型分析传统牛肉汤和标准化牛肉汤的差别，再反馈给煮汤的科研人员，请他们进行调整。直到某一天，统计人员发现，食客们已经尝不出老师傅煮的牛肉汤和标准控制的牛肉汤有明显差别。最后，新来的师傅经过短期培训之后，煮出来的牛肉汤也跟老师傅的没有区别，本研究胜利结束。

另一方面，对面粉的品质进行了复杂的分析之后，挑出了几项参数进行控制，以保证购进面粉的品质一致。当然，对于发面拉面的过程，他们也进行了机械模拟。若干个食品工程实验室经过大量的开发研究，类似于牛肉汤的制作，最后，任何新手经过简单培训，就可以操作机器拉出全公司统一的面条来。

当然，这一切技术都被进行了专利保护。即使有人自己琢磨出了相同的拉面机器，也不能生产和销售。于是，ABN 在拉面领域实现了垄断地位。在全国每一个城市，都可以吃到同样的 ABN 拉面。尤其是在那些工厂车站附近，ABN 更以其快速、方便、价格便宜、量又足的特色打垮了其他各种小饭店，成为快餐翘楚。

技术上的垄断形成马太效应，ABN 的分店如雨后春笋般迅速在各地设立。一时间，ABN 财源滚滚，好事者评出"ABN"三个字母价值多少亿云云。ABN 高层和其他员工都明白，ABN 的成功完全来源于拉面现代化技术的垄断。这时，那些做拉面的老师傅和研究中心的老专家都退休了，年轻的技术人员也成长起来了。ABN高层决定，不能白养着这批人，应该让他们开展拉面的前瞻性研究，继续在各个可能的方面进行垄断。于是，大笔的经费划进"拉面研究中心"，这批本来闲着的人们纷纷在学术研究的最前沿寻找对拉面可能有影响的领域。有人找到了转基因面粉可以提高面条的口感（此时，ABN已经不再模拟老师傅做出的面条口感，ABN的标准成了行业标准）；有人找到了酶处理可以减少煮面条需要的时间；有人发现了某教授的方法可以降低面粉在人体内的消化速度，从而有利于减肥和降低血糖；有人发现某些成分加到面粉中可以降低成本或者提高营养……ABN对这些技术进行了开发或者买断，然后申请专利保护。但是，这些技术并没有应用到生产中，因为目前的生产能够保证足够的利润。保护的结果，是没有其他的公司能够涉足拉面技术的创新，因为几乎任何有关的东西都与ABN的专利冲突，会受到起诉。每隔一段时间，ABN就抛出一项新技术。在顾客们的心中，ABN一直在把最先进的技术带进人们的生活中。

ABN自然不满足于偏安美国，就积极开拓世界市场。当他们来到中国的时候，发现美国本土那种价格便宜、量又足的营销策略水土不服。于是，ABN被打造成了高档、时尚的象征。在飘荡着悠扬的音乐、弥漫着淡淡花香、四季恒温的ABN里，一个个衣冠楚楚的或者仪态万方的白领、金领在拿着刀叉吃面条。各大电视台里、报纸杂志上，随处可见ABN的广告，诸如"ABN，面中面"，"没有最面，只有更面，ABN，来自大洋彼岸的关怀"，"ABN，白领首选"，"ABN，根根传情，丝丝入扣"，"月上柳梢头，人约ABN"，等等。甚至小朋友也不能幸免，诸如"期末考试100分，妈妈带我去ABN"之类的口号广为流传。

偶尔也有几个文化人跳出来说："拉面，我们的祖先早在几千年前就会了"，"ABN之类的洋垃圾怎么能跟我们手工、纯天然的拉面相比"，或者"崇洋媚外的堕落"之类。每有什么国家间的争端发生，也就会有爱国人士跳出来大声疾呼"抵制洋垃圾，保护民族产业"之类，往往也会导致 ABN 几天的萧条。几天之后，ABN 又依然人头攒动。

 聚 议 厅

Acoustic:

只买断不应用新科技，还吆喝新科技，这个比较无耻。

云无心:

工业界研发的目标是赢利最大化而不是科技创新。知识产权保护其实也是保护这种目标。不过，也因为这种"无耻"受到保护，资本家们才会对研发那么起劲。好的公司，研发经费能到销售收入(注意不是利润)的几个百分点，算做生产成本。

truman:

照搬肯德基、麦当劳来的垄断范本，极富讽刺意味。我个人也不喜欢吃这些，我也不明白为什么国外的快餐到了中国就变成了高档消费，被这么多国人追逐。我的悲哀是，我不喜欢，但是我女朋友喜欢，所以我不得不每周陪她去一两次。拭目以待哪个国人能把拉面做成肯德基。

蛋糕是怎样烤成的

烤蛋糕是一件很好玩的事情。有句形容回锅肉的话是"一千个主妇就有一千种回锅肉的做法",烤蛋糕的变化空间比回锅肉的大多了。所以,对于家有烤箱的人,烤蛋糕为他们提供了一个尽情挥洒创意和厨艺的空间。

除了自己的作品与众不同之外,烤蛋糕最大的诱惑其实在于可以闻到蛋糕出炉时的独特香味。那种香味是无法保留住的,再好的蛋糕也只能在其他方面有优越性,而不会长时间保持那种香味。

蛋糕是什么东西

如果从体积的比例来说,蛋糕的主要成分是空气,越蓬松的蛋糕中空气越多。不过,空气分子们并不团结,虽然占了很大的地盘,却被分割成了一个个的孤岛。蛋糕固体部分互相连接,成为无边无际的大网。蛋糕之所以比馒头蓬松,是因为其中的鸡蛋蛋白很多,有利于形成稳定的泡沫结构。鸡蛋蛋白最强大的地方在于形成泡沫之后一加热就变性交联,互相纠缠在一起,一冷下来就"化做了山脉",把空气牢牢地囚禁在里面。所以,蛋糕里必须要有比较多的交联性能好的蛋白质,而鸡蛋蛋白无疑是其中的佼佼者。

当然了,蛋糕还得让人吃饱,所以总得加入管饱的成分。通常主要成分是油、糖、面粉,这些东西也不够争气,虽然联合起来,却还是很容易被蛋白质分割包裹，成为一个个小颗粒。不过他们总算比空气好点儿，挣脱蛋白质的束缚好歹能够互相"接壤"。蛋白质虽然数量不见得占优势，却胜在八面玲珑、同气连枝，所以在蛋糕的微观结构中这"一小撮"反倒占了主导地位。

简而言之，蛋糕就是这么一种东西：油、糖、面粉和蛋黄的混合物被一部分水联合在一起，鸡蛋蛋白形成的泡沫掺和进来带进大量的空气。面粉和蛋白被加热交联，冷却下来就成了固体。这样固化的结果是把空气固定在了蛋糕中，从而形成了蛋糕特有的微观结构。

最基本的蛋糕配方

纸上谈兵了半天，我们来烤个蛋糕。

首先，把1/4杯面粉、一小勺苏打粉、一点点盐和半杯糖混在一起，搅和搅和差不多均匀就行了。另外拿一个大碗，把1/4杯油、1/4杯水（或者牛奶、果汁等液体)倒进去。拿四个鸡蛋，敲个小洞让蛋白流出来，收集到另一个比较大的容器里。把蛋黄放进盛有液体的那个碗里搅匀，再把固体成分倒进去，搅和均匀。这里的"搅和"二字实际操作起来要费点儿力气。如果有个电动搅拌器的话(超市里最便宜的就行)，就非常轻松愉快了，几分钟就能搞定。最后就是打蛋白泡沫了，用手打也不难，就是比较锻炼手力。当然，用搅拌器也同样很轻松，而且打蛋白的过程很赏心悦目，半透明的蛋白随着搅拌的进行逐渐变成雪白的泡沫，体积增加了好几倍，一直打到泡沫能够拉出尖角为止。

下面就很容易了。把那碗糊糊倒进蛋白泡沫里，边倒边轻轻翻搅，形成均匀起泡的面糊。

把面糊倒进烤盘，190℃下烤十几分钟，降温到160℃再烤十几分钟。看见表面变黄了就拿根筷子捅到底，拔出来筷子上面如果没有沾上东西的话就大功告成了。

拿把小刀顺边划一圈，就可以把蛋糕倒出来了。如果有起酥油的话（一种经过加氢处理、呈半固体状的植物油），先在烤盘里涂一层，不用刀划就可以倒出来。

然后……你就可以吃了。如果有客人的话，那种香味已经引诱人家好一阵子了。

浓妆艳抹做包装

我们通常说起"蛋糕"两字，首先想到的是涂了厚厚一层奶油，还有各种图案、花里胡哨的蛋糕。那种蛋糕在冰箱里储藏过，香味已经散尽，质地也变得有点僵硬，再不进行包装就没有吸引力了。

其实，蛋糕和奶油纯属"拉郎配"，爱吃蛋糕的人不用涂奶油，爱吃奶油的也不用涂在蛋糕上吃。不过涂奶油实在是个技术活儿，也难怪奶油蛋糕要卖得比较贵。看别人涂过几次，挺容易，自己涂起来就完全不是那么回事。喜欢吃得"艺术"的人倒是不妨在上面花点儿工夫，在蛋糕上涂奶油大概跟女士们在自己脸上化妆一样会带来很大的成就感。

美国人并不总是用奶油来涂蛋糕，谁让奶油的价格不断上涨呢？不过，用别的东西涂的话他们会用另外一个词，叫做"topping"，这样不会被自作聪明的记者揪住不放说"行业黑幕：奶油原来跟奶无关"。"topping"是用别的蛋白和油做出来的长得很像奶油的东西，人们也经常在里面加些草莓、葡萄之类的。不同的变化也造就了"一千个主妇有几千种蛋糕的做法"。

变化的空间

前面说的是最简单、最基本的蛋糕配方，大致可以称为"原生态"

的蛋糕。了解了各种成分的作用，就可以开发自己的"祖传秘方"了。

比如说，那1/4杯水，完全可以用橙汁、牛奶、柠檬汁甚至豆浆等不同的液体代替，就可以做出各种风味的蛋糕。少加点面粉，加入捣碎的香蕉就成了香蕉蛋糕。不喜欢蛋黄的可以少加一点蛋黄，喜欢巧克力的还可以加入巧克力。我曾试过一次用豆浆机打出来的豆渣代替了一半的面粉，对于味道和口感没有明显的影响，算是"废物利用"做成的"健康食品"。

按照上面的做法烤出来的蛋糕非常松软。如果想要硬一些的，或者懒得分开蛋白、蛋黄，直接混在一起搅和也可以。不少配方就是那么写的，不过我没有试过。

商业化的蛋糕还可以通过改进配方，在成本和被接受程度之间找到最佳利益结合点。比如说鸡蛋很贵可以少用，代之以"鸡蛋替代品"。一般来说，获得近似的口感并不太难，但是蛋黄产生的香味就难以实现了。不过，经过冷藏的蛋糕本来就保留不了多少蛋的香味，可以加入别的香味成分来掩盖，比如前面所说的巧克力、柠檬，常用的还有香草味，等等。

 **咖啡加泡沫**

第一次煮咖啡完全是在超市里心血来潮，看到咖啡粉、咖啡壶还有咖啡伴侣都不贵，就买了回家。结果忘记了买咖啡滤纸，兴致大受打击。好在在实验室待的时间长了，习惯于什么东西没有了就找别的东西凑合代替。看看餐巾纸长得跟咖啡滤纸差不多，就拿了两层来用。餐巾纸的通透性太差，好半天也没滴下多少咖啡来。不过到底喝上了自己煮的咖啡，还是挺得意的。

所谓的煮咖啡，其实不是煮饭、煮面那样的煮，而是把咖啡粉放在滤纸上，让热水通过，带走可溶性物质，留下残渣，滤过的部分就成了咖啡。简单的咖啡壶热水通过一次，带走的是咖啡中容易溶解于水的部分。复杂一点儿的咖啡壶可以让水循环，一些不是很容易溶解的成分最后也被溶解了，所以用不同的咖啡壶煮同样的咖啡，其结果是不一样的。而速溶咖啡则是在工厂里把可溶成分提取出来，干燥成粉，所以直接加到水里就可以了。一般而言，这样煮出来的咖啡一杯(200毫升左右)里面含有一两百毫克咖啡因。对于对咖啡因敏感的人来说，这个含量可能太高了。所以咖啡厂家又开发出了去掉咖啡因的咖啡，就像牛奶脱脂一样。而脱出来的咖啡因可以卖给药厂，一点儿也不浪费。

如果把热水加压（通常十个大气压左右），水能达到很高温度而不开。在这样的温度下，少量的水通过咖啡粉就能溶解大量可溶成分，成为浓缩咖啡，英语里叫做"espresso"，味道极为浓烈。一份通常是一盎司（30毫升左右），咖啡因含量跟一杯200毫升的普通咖啡差不多。据说真正懂咖啡的人都是喝这种浓缩咖啡的。对于多数人来说，即使它里面加了牛奶和糖，也还是过于浓烈。

在很久以前，咖啡里是加牛奶的。加牛奶的作用一是好看，二是保温，三是有助于保留香味。牛奶和咖啡一起端上桌子，由客人自己加。装牛奶的那个容器叫做"creamer"，不过，后来通常是把加到咖啡里的牛奶叫做"creamer"。20世纪60年代雀巢开发了非牛奶的creamer，命名为"咖啡伴侣"。其实，咖啡伴侣主要也是用一种牛奶中的成分——酪蛋白，加上植物油等成分做成的。咖啡伴侣的好处显而易见，它可以做成浓缩液或者干粉，大大方便了运输和储存。现在也有一些用大豆蛋白做的creamer。有时候，也把creamer叫做咖啡增白剂(coffee whitener)。当这种东西进入了中国，中国人给它起了个名字叫"奶精"，或者叫"植脂末"。这一堆名词其实是同一类东西，只是咖啡伴侣是雀巢公司的专有名称，而咖啡增白剂在中文里听起来很别扭。creamer不是咖啡必需的，许多真正享受咖啡的人不但不加creamer，也不加糖，喜欢这种纯的"黑咖啡"。

真正受小资们青睐的咖啡是卡布奇诺。这个名称纯属小资翻译，除了显得洋气之外实在没有什么可取之处。不如直接叫做泡沫咖啡，简单明了。真正的泡沫咖啡是装在瓷杯里的浓缩咖啡，上面加一层牛奶泡沫。加泡沫除了好看之外，也可以保持温度和香味。但是现在的卡布奇诺已经变得多种多样了。像麦当劳的卡布奇诺，就只是有泡沫的咖啡而已，而且那个泡沫也不怎么好看。雀巢咖啡机里出来的，也是有泡沫的咖啡，装在一次性的杯子里，跟小资的情趣很不匹配。小资们推崇的卡布奇诺，是专卖店里的那种。把泡沫做得很漂亮，还经常写点风花雪月爱恨情仇字样的东西。既然满足了看的欲望和情调，这种精致的卡布奇诺的价格自然也就贵一些。所以，不要问"同样是泡沫和咖啡组成的卡布奇诺，价格差距咋就那么大呢"。

我以前为雀巢公司做过一个项目，研究咖啡机如何产生更好的泡沫。他们送来了一台咖啡机，被我拆开看了个遍。那个项目做了几个月之后，他们的项目负责人来作阶段性总结。吃饭的时候，大家就自然而然地点了泡沫咖啡。那是我第一次见到泡沫咖啡，也不是地道的卡布奇诺，算是比较普遍的变种吧。泡沫是白色的，很细腻，视觉效果不错。不过时间长了之后就像快融化的雪人，落魄不堪。而我们那个项目，也就是尽可能让产生的泡沫保持更长的时间。

咖啡的品质和茶一样，受产地的影响最大，不同产地的咖啡豆品质相差很多。其次是制作工艺，咖啡豆的烘烤、研磨等步骤都会对终产物产生重大影响。曾经有论文探究过用色谱分析检测不同烘烤条件对咖啡溶解组分的影响，以及这些组分变化对最终口味的影响。看起来很无聊，不过，现在的食品饮料确实就是这么研究的。

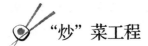 "炒"菜工程

　　"炒"大概是中餐中最常用的手法，尤其是川菜，小炒算得上是一大特色。基本的步骤是：肉切好并"码芡"；油烧热；下姜片（或丝、末）翻炒；肉下锅翻炒，术语叫"散仔发白"；加调料，翻炒均匀；下配菜，炒熟；或者勾芡，或者不勾芡，起锅装盘。整个过程就几分钟，如果清炒素菜的话更快。

　　从食品工程的角度来说，"炒"是一个典型的"高温快速"的加工过程。在高温下（通常炒菜的油温在200℃～300℃），不管是肉还是菜都会快速变熟。而对于肉或者菜中的香味，因为其损失程度受时间的影响更大一些，所以快速炒熟的肉和菜更容易保持天然的香味。

　　对于肉而言，其中的水分很关键，因为水分流失的同时许多香味物质也流失了，从而使肉变得干而无味。"码芡"可以很好地防止这个问题。码芡通常用淀粉（也有人将它叫做"生粉"），用水化开淀粉，加入盐、味精，与切好的肉混合，最后，肉的表面会有薄薄的一层淀粉。饭店里的淀粉是预先在水里泡了很长时间的，川菜里叫做"水豆粉"，因为这样，淀粉的水化更充分，效果更好。肉下锅之后，这层淀粉受热交联，形成了对肉的保护层，大大减少了肉中水分的流失，因而也减少了香味的流失。加上淀粉中的调料很好地附着在了肉的表面，所以码过芡的肉用高温炒出来会显得嫩滑。但是淀粉加多了也不好，淀粉变熟交联之后的保护层如果太厚的话会影响热量往肉内部的传递，

因此需要更长的时间才能炒熟，反而得不偿失。炒出来的成品太黏，也影响外形。

清炒素菜的话当然不用淀粉，因为多数蔬菜在骤然高温时都会在表面形成致密的保护膜，从而减少水分流失。很多蔬菜，尤其是叶子菜，本身很薄，在高温下很快就被炒熟了，比如空心菜、豌豆苗、菠菜等。所以清炒素菜的关键在于动作要快，一次不能炒太多，下锅后快速翻炒，迅速加入调料，菜蔫了就出锅。炒得好的素菜应该保持着天然的绿色。

炒菜的原料需要切得均匀，不管是主料还是配料，否则小块的先熟，等到大块的熟了，小块的已经熟烂了。对于切片的菜，重要的是厚薄均匀，片的大小对于熟的速度影响很小，只影响美观；对于切丝的菜，则是粗细均匀更重要，而长短只影响美观。蔬菜的不同部位熟的速度相差较大，比如炒菠菜时最好把叶子和叶柄分开，先下叶柄炒一会儿再下叶子，豌豆苗则问题不大。而空心菜则应该把茎和叶分开，茎（有很多人是不要这部分的，如果要的话）可以先炒或者炒到大半熟时再下叶子。

The Truth of Food

第二章　苗条价更高

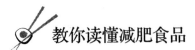

教你读懂减肥食品

在日常生活中，我们经常听到这样的话："这个是减肥食品，多吃点儿……"，"这个东西吃了长胖，不能吃……"。人们经常把长胖或者减肥归结为吃了某种食品。其实，这如果不是别有用心的误导，就是出于人们的误解。

体重的增减跟一个人的积蓄一样，是由收支两方面决定的。差别只在于，对于家里的积蓄，我们希望越多越好，而对于体重，大多数人则是希望减轻或者保持在一个比较低的水平。人的生理机能方面的因素——比如某些参与生化反应的酶等——固然对于肥胖有着"内因"的影响，但这些方面是我们改变不了的，所以我们能做的，只能从"外因"角度施加一点儿影响。

人体每天吃进食物，食物经过消化吸收代谢，产生能量。这些能量供人体进行各项生命活动。如果从食物中获得的能量超过了人体所消耗的，多余的那部分能量就会储存起来，最终转化成体重，就跟挣来的钱没有花完就增加了积蓄一样。体重的增减不取决于吃了什么，而取决于能量的收支状况。所以，要减肥，就要让人体处于"赤字"状态，要长胖就要处于"年年有余"的状态。

这个问题的复杂性在于，一方面，每个人每天所需要的能量并不一样；另一方面，人们每天摄取的能量也不好计算。我们吃的任何食物，无论是米饭、蔬菜还是肥肉、水果，以及饮料零食，都提供能量。

而且，没有哪一种食物提供的能量比别的食物"优越"。换句话说，水果提供的能量并不比肥肉提供的少长肉。核心问题在于总共摄取了多少能量，而不是吃了什么食物。

对于绝大多数人来说，饿了就吃东西，渴了就喝水或者饮料，基本上是遵循自己的感觉。也就是说，我们吃喝的时候，满足的是"充饥"、"解渴"，或者"好吃"、"好喝"，而不会特别在意吃了多少。"渴"和"饿"的感觉跟身体的能量需求并不是一回事。不同的食物所能提供的能量不一样，所谓的"减肥食品"一般是低热量食品，就是说吃进相同的量，所提供的能量少一些。比如常规酸奶一桶 8 盎司（227 克左右），能量可能高达 240 千卡，如果是无脂酸奶，能量能够降低一半左右。所以，无脂酸奶可以算是一种"减肥食品"。但这并不是说吃了它可以减肥，而是说吃进同样的量，它所提供的能量更少。目前所谓"减肥食品"的开发，基本上就是开发低热量食品。如果一个人每天都要吃一桶酸奶，从常规酸奶换到无脂酸奶的话，的确是对减肥有利。但是，如果一个人本来不吃酸奶，因为"减肥食品"这个说法而每天吃一桶无脂酸奶，但是又没有相应减少其他食物的摄入量，那么这个"减肥食品"只会"增肥"。就像攒钱，卖房子赚的钱和卖早点赚的钱在银行账户上没有区别，只是卖房子可能赚得快，卖早点可能赚得慢。如果从卖房子改卖早点，一般会减慢攒钱速度。但是如果在卖房子的同时增加了卖早点，还是会增加攒钱的速度。

人体是个很复杂的系统，吃进相同量的东西，所产生的"饱足感"可能相去甚远。比如一桶无脂酸奶和一杯橘子汁或者可乐含有差不多的能量，但是多数人会觉得吃了酸奶要"饱"一些。

开发"减肥食品"，就是寻找能够让人产生"饱足感"但是能量少的食物，这些食物本身并不是"治疗"肥胖的药物。它们的作用，只是让人们不再有"饥饿感"，从而减少其他食物的摄入。目前，一般认为糖类食品在产生"饱足感"上的效率比较差,而膳食纤维是良好的选择。天然食品中的豆类、谷类杂粮,一些蔬菜如西蓝花、花菜、胡萝卜、土豆、红薯、洋葱、芹菜等,一些水果如李子、梨以及黑莓等,都是含有较多纤维的食物。但是,这些食物很难被人们作为主食长期坚持食用,所以目前大量的食品科学研究致力于在常规的食物成分中寻找能量少而产生"饱足感"效率高的成分。抗性淀粉是一个成功的例子(参见《改性淀粉与体重控制》)。当然,也有一些研究报道说纤维或者抗性淀粉在体内有助于消耗脂肪,不过这只能算做附带的好处,它们在"减肥食品"中的作用主要还是依靠低能量而产生"饱足感"。

总而言之,要减肥或者控制体重,需要考虑吃喝的所有食物和自己的能量消耗,而不能指望某一两种"减肥食品"。如果因为吃了所谓的"减肥食物"就大吃大喝,或者大量进食饮料、零食,"减肥食品"就失去了作用。要增加银行里的存款,需要同时"开源"和"节流",而要减肥,则正好相反。

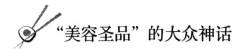

"美容圣品"的大众神话

商人们说"女士和孩子的钱是最好赚的",所以美容很容易就成为一个庞大的产业。从头到脚的美容产品和美容方法层出不穷,人们又从"外"转向了"内"——令人眼花缭乱的"美容圣品"——阿胶、燕窝、雪蛤、鱼胶、灵芝……一个又一个千娇百媚的明星孜孜不倦地诉说它们的神奇功效。人们食用了这些"圣品",是否真的能"吃出"美丽呢?

"美容圣品"有多少依据

如果问一位时尚女性什么食品能美容,她大概能列出一个长长的名单。如果再问"为什么这些食品能够美容",她会以看待外星人的眼神看着你,然后说"大家都这么说",或者"某某人吃的就是这个"。

"大家都这么说"是一个很有趣的理由,无论多不靠谱儿的事情,说的人多了仿佛就成了"真理"。比如有位据称"营养学家"的"博士"说吃红薯能治癌症,后来就"大家都这么说",红薯也就脱销了。再比如农村的产妇"坐月子",大家都说要吃很多鸡蛋、鸡肉或者猪蹄之类的东西来"大补"。如果产妇家境比较好,公婆人也好,那产妇每天吃上十几个鸡蛋,或者小半只鸡,才会觉得"营养充足"。如果这位产妇恢复得很好,宝宝也长得好,人们就会归结于是"大补"的作用;反之,如果产妇还是虚弱或者容易生病,或者孩子也长得不好,人们就会觉得是产妇体质不行——"这么补"了都不行。而如果另一家家境不好，或者公婆抠门儿，每天只给产妇吃两个鸡蛋，所有人都会觉得产妇受了虐待。如果不幸产妇恢复得不好，那么就一定会怪罪于"营养不良"；而如果产妇依然健康的话，就只会感谢菩萨给自己的好身体了。所以，无论如何，是不会有人去怀疑"大家说"的理论的。

"某某人吃的就是这个"是一个更不靠谱儿的理由。那个某某人或许真的在吃这个东西，她也真的是光彩照人，但是这完全不能证明二者之间有必然联系。这个明星肯定还有别的生活习惯，比如上美容院，或者适当锻炼，她自己也无法知道是什么原因使她风华绝代。

在科学上，要如何才能证明一样东西吃了能够美容呢？只能依靠科学实验。简单说来，就是寻找一批志愿者，比如说几百位女士，把她们随机地分成两组：一组人吃普通食品，另一组吃"美容圣品"，过一段时间，看看这两组人的容颜总体上有没有差别。只有吃"美容圣品"的那一组人明显比吃普通食品的那组人更加"美"了，才能说这种"美容圣品"是有效的。这样的实验，叫做"随机对照"实验。

其实，这样的实验也还是有问题的。因为吃"美容圣品"的那组人会觉得自己在"美容"，而吃普通食品的那组就会觉得自己只是陪衬。这种心理状态的差异也可能影响到人的生理状况，所以更严格的实验是每个志愿者不知道自己吃的是普通食品还是"美容圣品"，甚至连协助组织实验、负责提供食物的人也不知道，只有设计实验的人才知道。这样的操作叫做"双盲"。只有这样的"随机双盲对照"实验，才能在科学上证明一种"美容圣品"是否真的有效。

想一想，有哪一种"美容圣品"经过了这样的实验？相对于那些"圣品"的天价，这样的实验也并不算难，为什么卖者都不去做呢？

分子水平上的"美容圣品"

如果一位时尚女性多少知道一些生物学知识的话，可能会搬出厂家鼓吹的一套"科学数据"：含有多少种人体必需的氨基酸，多少种维生素，多少种微量元素，富含某某成分，对于人体有这个那个功能。这样的鼓吹披着"科学"的外衣，就有了更大的迷惑性。

其实，任何一种食物都含有"多种氨基酸、多种维生素和微量元素"，并且"富含某种成分"。自然界的绝大多数动植物，都含有蛋白质、脂肪、碳水化合物、维生素以及矿物质。那些"美容圣品"里含有的任何一种成分，都会在最普通的食物中找到，甚至更为优越。比如说阿胶和鱼胶，其主要成分是一种叫做"gelatin"的蛋白质。从食品营养的角度来说，"gelatin"甚至是一种品质很差的蛋白质。人体对蛋白质的需求是为了满足人体对氨基酸的需要，而人体对于各种氨基酸的需求并不一样。自然界中的各种蛋白质所含有的氨基酸比例也各不相同。如果一种蛋白质的氨基酸组成与人体的需求很相近，那么它满足人体需求所需要的量就比较少。在食品科学上，就说这种蛋白质品质更好。可惜的是，阿胶和鱼胶的氨基酸组成与人体的需求相差太远，而且缺乏人体必需的一种，所以在营养方面的价值是非常差的。

可以说，"美容圣品"中那些所谓的"营养成分"，完全用不着花大价钱去"圣品"中寻找，超市和菜市场里那些最普通的食品完全能够提供。

所以，"圣品"如果有神奇之处，就只能指望那些"非常规"的成分。比如说，有人煞有介事地说燕窝中含有丰富的表皮生长因子，能促进细胞生长，从而实现"美容"。且不说燕窝中是不是真有丰富的表皮生长因子，这东西其实对于人体一点儿意义也没有。表皮生长因子是一种小分子蛋白质，它的生理作用是与细胞表面的表皮生长因子受体结合，启动细胞分裂程序，从而实现细胞的增生。这种因子是在人体的正常生理活动中产生的，它的作用是要求整个分子到达细胞表面，并且保持着天然的空间结构。即使燕窝中有这种表皮生长因子，在烹饪的过程中也会失去空间结构。除此以外，它被吃进肚子之后，会进一步在消化液的作用下分解。换句话说，它根本没有机会以整个分子的状态到达细胞表面去发挥美容的作用。更为要命的是，如果真有表皮生长因子能够经过地雷阵加万丈深渊而到达细胞表面，对于人体来说也并不是好事。细胞分裂过于旺盛，就成了癌症。实际上，有许多治疗癌症的药物，其作用机理就是抢占表皮生长因子受体，而让表皮生长因子失去作用。

像灵芝、雪蛤之类的东西，因为其生长的环境很特殊，的确可能含有一些特别的物质。对于这些成分的寻找，也确实有过许多研究。不过，目前找到的东西，还没有一种能够跟美容搭上关系。有人会说，这些神奇的东西，其中肯定有现代科学不知道的神奇成分，没准儿就有美容的效果。从逻辑上来说，确实是可能的。问题在于，这种莫须有的可能性并不比街头叫卖的"祖传秘方，包治百病"更大一些。

该吃什么

人体是一个复杂的整体，维持它的正常运转并不需要特别的"营养成分"。有一些食品成分对于改善人体机能、防止某些疾病的发生有一定的作用。不过，如何利用这些成分、如何实现这些作用，也并不是"吃下去就可以了"的事情。对于"美容圣品"，在现代食品科学的研究中几乎没有人在上面下过工夫。虽然这样的产品市场和利润都是不可估量的，但是成功希望接近于零的研究是没有人去投资的。

人们都说女人如花。要养好花，需要的是适当的水，以及适量的普通平常的肥料。指望用某些"神奇"的肥料养出娇艳的花朵，也是很不现实的事情。同样，维持人体机能的良性运转，也并不需要什么"神奇"、"特别"的食物。成分均衡的普通饮食，就是最好的"圣品"。

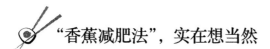

"香蕉减肥法"，实在想当然

　　八卦记者采访女明星，最喜欢问的问题之一是："你是如何保持身材的？"身材好的明星们也就神神秘秘地介绍一下"秘方"，于是粉丝们乃至非粉丝们就纷纷仿效。最近热遍日本、走向中国的"香蕉减肥法"也是如此。从一位减肥成功的作家开始，众多明星捧场，一时间竟然令香蕉脱销。那么，这种看起来轻松容易的减肥法——只需要每天早晨就着白水吃香蕉，中午、下午还可以照常吃饭——真的有那么神奇的功效吗？一种减肥法、疗法或者保健食品，要被称为"有效"，必须有一定的统计基础。在此基础上，还应该能够从生化角度解释。而"香蕉减肥法"的情况又如何呢？

　　首先，这种方法的提出基于一个作家的减肥日记。他详细地记录了减肥过程中的食谱，最后把成功减肥的原因归结于坚持每天早晨吃香蕉。这种只有一个样本的统计说明不了任何问题，在减肥过程中的吃喝拉撒睡，都可能与减肥有关。单单挑出食用香蕉作为原因，更多的像是一种推销书的噱头，就像把王军霞的成功归结于吃了鳖精一样。如果某个人减肥成功了，他所总结的"减肥经验"就是正确的话，那么我们甚至可以"证明"抽烟喝酒有助于长寿——如果你到偏远的农村，很容易找到一些长寿的老人，他们的生活经验就是"每天抽旱烟、喝烧酒"。至于那些女明星的"现身说法"就更没有说服力了——谁都愿意把自己的"瘦身"、"美容"归结于粉丝们希望的生活方式——美

71

国电影《律政俏佳人》里就有这样的情节：著名的减肥教练被控杀人，她宁愿蒙冤，也不愿意把偷偷吸脂的经历说出来，尽管这个证据足以证明她的清白。

统计方面是靠不住了，还是有人从"科学"方面对"香蕉减肥"做理论解释。主要理由是香蕉含有纤维素，能够提供"饱足感"，从而让人在上午不想吃零食；同时香蕉中的酶（所谓的"酵素"）能燃烧脂肪等食物成分，从而使得人体从午饭、晚饭中所摄入的脂肪能够被完全消耗掉。前一条理由还算有点靠谱儿，不过就提供"饱足感"而言，香蕉是非常差的水果。100 克香蕉含有 90 千卡热量和 2.6 克纤维，而苹果只含有 50 千卡热量却含有 2.4 克纤维；梨则更好，只含有 50 千卡热量却含有 3.1 克纤维；还有草莓，只有 30 千卡热量却有 2.3 克纤维。在含有同等热量的前提下，其他大多数水果，比如桃、葡萄柚、橘子等，都含有比香蕉更多的纤维素。许多蔬菜甚至更加有效，比如 100 克西红柿只含有 20 千卡热量却有 1 克纤维，西蓝花含有 30 千卡热量和 2.6 克纤维，卷心菜含有 20 千卡热量和 2.5 克纤维。如果香蕉中的纤维是成功减肥的原因，那么吃这些蔬菜水果无疑要有效得多。至于香蕉中的酶能燃烧午饭、晚饭的食物成分，则完全是想当然。任何酶都是具有空间构象的蛋白质，进到肚子里后早就失去了活性，如何去分解食物？如果香蕉中有如此神奇的酶，那么早就是科学家们追逐的目标了。

不管是学术界、工业界还是 WHO 这样的权威机构，对减肥的认识都是基于热量的收支情况。摄入的热量少于消耗的，才能够减肥。而所谓的减肥食品，是在让人感觉饱的前提下，只提供尽可能少的热量。在这方面，蔬菜水果确实有比较大的优势。不过，把减肥的希望寄托在香蕉或者某种特定的食物上，只能是一相情愿。

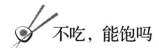 不吃，能饱吗

目前，世界上挣扎在温饱线上的人可能比操心减肥的人多多了，但是操心减肥的人更容易成为科学研究者的衣食父母，所以世界上关于减肥的研究肯定要远远多于如何吃饱的研究。许多人的郁闷在于：面对那么多的美食，坚持不吃是一件很痛苦的事情；而吃了却要长胖，长胖之后又更加郁闷。所以柏杨曾经说，对女人最好的报复就是请她吃巧克力和油腻的食品，等她长胖了以后就会痛不欲生。现在的食品研究里，最容易弄到经费的大概就是能和减肥扯上关系的了。所谓"拿人钱财，替人消灾"，科学研究者们消耗了大量的经费之后，总算大致弄明白了人是如何吃饱以及如何变胖的。

绝大多数人都知道长胖还是变瘦取决于体内的能量收支情况。吃得多，消耗得少，自然就会长胖。但是即使知道了这一点，减肥仍然不是一件容易的事。想想一天克制了二十几个小时，只要在吃饭那一会儿没顶住也就白费工夫了。所以，如果少吃，甚至不吃，却依然感觉到饱，减肥就没有那么痛苦了。那么，不吃，能饱吗？

人的行为是大脑控制的，饱或饿的感觉也是靠大脑来决定的。人体（动物体应该也是）内存在着两类与吃饱有关的信号。一类被称为"饱足信号"，是吃饭的时候某些器官分泌的物质；另一类称为"脂肪信号"，吃不吃饭的时候都会产生。两类信号传递到大脑，经过民主集中，权衡斟酌，最后作出是否继续吃的决定。

现在发现的"饱足信号"物质有很多种，最典型、研究最广泛的一种叫做"cholecystokinin"，简称CCK，也被翻译成"缩胆囊素"。在我们吃饭的时候，被消化的某些食物成分会刺激CCK的分泌。这些CCK一部分会去刺激胰腺分泌和胆囊收缩，一部分会去刺激神经受体。不同的食物成分，比如碳水化合物、脂肪、蛋白质还会产生CCK之外的其他"饱足信号"。这些信号汇总到大脑，大脑就会对身体需求和进食过程产生的结果进行预测。当这些信号足够强，大脑就会作出决定：嘿，哥们儿，差不多了！再吃就长胖了啊。

就本质来说，吃饱的感觉不是由食物产生的，而是由食物引发的饱足信号产生的。那么，如果人为改变这些饱足信号，是不是就可以改变"饥饿"或者"饱足"的感觉呢？

真有人做过这样的实验：在饭前吃一些CCK，然后记录一段时间（比如三十分钟）内所吃的东西。结果是吃的CCK越多，吃的食物就越少，但是即使吃很多的CCK，也不会完全不吃食物；另一方面，如果阻断CCK的作用，比如使用CCK的受体阻断剂，人的进食量就会增加。

CCK的注入没有给人体带来任何不适感，却又能使人产生饱足感，减少进食量，从而使减肥不再那么痛苦。这意味着什么？

热销的产品？铺天盖地的广告？落叶般漫天飞舞的钱？

可惜，揉揉眼睛，接着看研究进展，一切美景都是海市蜃楼。研究者们弄了一些CCK受体功能有障碍的老鼠，发现它们的确比正常老鼠吃得稍多，长期下去确实慢慢地变得更加肥硕。但是如果人为地把CCK受体切除，老鼠的体重却相当正常！

这事儿看起来挺邪乎的。研究者们又弄来一些老鼠，给它们装上腹腔导管，每次进食前控制CCK（或者安慰剂）的含量并监测进食情况。结果很有趣，饭前注射CCK的老鼠确实每顿吃得比较少，但是它们每天吃的顿数却增加了。看起来，外源CCK虽然减少了吃饭时的进食量，但是体内却有别的机制通过增加进食次数来补偿。所以，通过摄入CCK来减肥不是个好主意。就像有的女生为了减肥，吃饭数粒数，吃面条数根数，然后回头再吃各种零食，结果殊途同归。

我们熟知的胰岛素和一种被称为瘦体素的东西在体内的分泌跟脂肪含量正性相关，也就是说体内的脂肪越多，这两种激素分泌得越多。这两种激素都会被运输到大脑，告知体内的脂肪含量。如果这些激素多了，大脑就会认为应该少吃，反之就多吃。大脑还有个邪门儿的地方：对于饱足信号的敏感性跟脂肪信号相关。当体内的脂肪含量低，或者人体处于节食状态，脂肪信号的分泌会减少，大脑对于饱足信号会变得迟钝，人就会吃得更多来提高脂肪含量；反之，如果脂肪含量很高，或者暴饮暴食，脂肪信号的分泌就会增加，大脑对于饱足信号的敏感性就会加强，从而降低进食量，让脂肪含量降下来。

无论如何，脂肪信号的增加会降低人体对于食物的需求，这会不会又是一个发财的机会？如果注入胰岛素、瘦体素或者它们的类似物，是不是就可以降低食物需求量呢？这种思路看起来不错，也正是那些研究的目的。不过在目前，这种想法还面临着巨大的障碍。一是这些激素的类似物在医药领域是否存在，二是这些东西需要持续注入，就像糖尿病病人注入胰岛素一样。除此以外，还有人们更为关注的一点：会不会产生其他不良的后果。比如，持续注入胰岛素会产生低血糖症，而低血糖症反过来又会导致食物需求量的增加。

如果不是断章取义地拿着"科学研究表明"的旗号去忽悠普通公众，通过注射这些"饱足信号"或者"脂肪信号"来减少食物需求的想法一时半会儿还不能实现。严谨地说，不能断言此路不通，但是要想把这种无所谓有、无所谓无的希望变成现实，还需要关心此事的人砸进更多的钱。

高科技的玩意儿看来在目前是指望不上了，退而求其次，可不可以找出某些能够高效刺激 CCK 等信号分泌的食物成分，从而实现"少吃多饱"的理想呢？这大概是目前的食品工业研究中最有号召力的项目了。不过我们就不介绍分子水平的研究了，只整点直观实用的。

悉尼大学有个博士弄出了个"饱足系数"的概念。她的实验很简单：早晨学生来了，每人发给含有 240 千卡热量的某种食品。吃完之后的两个小时内，让他们自由自在地吃自助餐。研究人员在一边记录下他们吃的东西，并且每隔十五分钟询问一次他们的"饱足感"。她们一共测试了三十八种常见的食物，以白面包为基准（100%），其他食物相对于白面包所提供的"饱足感"作为"饱足系数"。系数越高，表示该食物越容易让人产生饱的感觉。或者说，在让人吃饱的前提下，饱足系数越高的食物所含的热量越少，越有利于减肥。

她们的实验结果很有趣。饱足系数最高的食物是土豆，高达323%。也就是说，同样是吃饱，吃白面包的话所摄入的热量是土豆的3.23 倍！蛋糕的饱足系数却很低，才 65%；而花生、酸奶、冰激凌也都比白面包还低；爆米花却高达 154%！

在中国人常吃的食物中，富含蛋白质的食品一般饱足系数较高。比如奶酪、鸡蛋、豆类、牛肉，一般为 146%～176%，而鱼则高达225%。一般而言，水果也高于白面包，比如苹果和橘子分别是 197%和202%，但是香蕉却只有 118%。

不过，这种测试方法也有其本身的缺陷，它测出的只是吃完某种食物后两个小时内的感觉。有的食物，在吃后的两个小时内感觉很饱，但是很可能两个小时后就很饿了。而有的食物，在体内不易或者不能被消化，饱足感保持的时间会比较长一些。或许，这也是饱足系数这个概念没有得到广泛应用的原因吧。

人和老鼠的区别在于，人什么时候吃饭、吃多少，更多地是由社会因素和生活习惯决定的。从某种程度上来说，把减肥的希望寄托在改变自己的激素水平上，不如依靠自己的毅力控制生活习惯可靠。当然，选择食用一些热量少、饱足感强的食物，可以让控制体重的过程没有那么难受。

 ## 聚 议 厅

yangyyt：

"饱足系数最高的食物是土豆，高达 323%。也就是说，同样是吃饱，吃白面包的话所摄入的热量是土豆的 3.23 倍！"这句话好像写反了。最近常去的论坛里在讨论减肥的话题，我这个瘦子跑去交流经验，被人臭骂了一顿。其实健康就好了，很多人胖是遗传导致的，喝凉水也长肉，有人（例如我）爱吃红烧肉，照样只有四十三公斤。多运动、多饮茶、少吃零食，撇开老爹的瘦子基因，身材就是这么保持下来的。有一点不明白，像我这样的瘦子，明明吃得挺多的，但就是不长肉。这到底是消化太好，还是营养吸收不好？研究减肥，可否从此入手？

云无心：

没写反啊。饱足系数高，说明在同等热量下更容易让人产生饱的感觉。另一种表达方式是，同样的饱足感，所贡献的热量低。不过在别处已经有一个人理解的意思与我说的意思相反了。可能我的表述方式真的容易让人误解。减肥的关键是能量的消耗大于摄取，从各个角度的研究都有。但是只立足于某一些角度的话，都不全面。

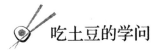 吃土豆的学问

关于洋快餐是垃圾食品的说法里，有一条原因是薯条的高热量。经常有人说：把土豆炸成薯条，热量增加了 200 倍，这种结论跟全世界对于薯条的批评相一致，所以相信的人更多。甚至经常有人忧心忡忡地说，中国青少年健康状况的下降，都是洋快餐等垃圾食品泛滥造成的。

不过，这个热量增加 200 倍的说法实在太不靠谱儿，怎么看都是"先定罪，后办案"的欲加之罪。每 100 克生土豆的热量大概是 80 千卡，如果增加 200 倍，那么就变成了 16000 千卡。普通人每天需要的热量是 2000 千卡，按照这个说法，100 克薯条可以支持一个人生存八天！

100 克生土豆中含有 15 克左右的淀粉和两克左右的蛋白质，以及一些纤维，其他 75% 左右的是水。经过油炸，土豆条会失掉许多水，吸附一些油。因为失水多而吸附油少，所以同样重量的薯条实际上对应着更多的生土豆。油的热量很高，每克高达 9 千卡，所以炸好的薯条单位重量的热量会有相当大的增加。一般而言，多数洋快餐的薯条每 100 克所含的热量是 300～400 千卡，薄的土豆片能够达到 500 千卡。当然，这样的热量确实比较高。不过这并不是薯条变成了毒药或者垃圾，只不过是食物成分的重新组合而已。当我们痛骂薯条是垃圾的时候，其实应该提醒自己我们引以为傲的油条、麻花等传统美食也是一样的。

"天然" ≠ 安全

　　土豆是世界上仅次于大米、小麦和玉米的第四大粮食来源。虽然中国是世界上最大的土豆生产国，比排名第二的俄罗斯和第三的印度加起来还多，不过我们基本上把土豆当做"穷人口粮"，所以在中国美食的菜单里大概找不到西餐中的薯条或者烤土豆那样具有广泛号召力的食物。

　　由于土豆中含有大量的淀粉，吃完以后血糖指数会迅速上升，所以传统上并不被当成是"优质食品"。尤其对于糖尿病病人来说，简直是避之不及。不过近年来人们发现，土豆中有一部分意志坚强的淀粉，不受各种消化酶的腐蚀，像纤维一样给人以饱的感觉却不贡献热量。这部分被称为"抗性淀粉"的东西深受热衷于减肥的人们的追逐，自然也就成为食品工业界的宠儿。不过土豆中的抗性淀粉脾气很怪异，生的时候还多，一煮熟就有很多叛变投敌了，坚持下来的大概只有7%。如果放凉了，又有一部分翻然悔悟的，总共能达到13%左右。换句话说，如果要充分利用土豆的"抗性淀粉"来帮助减肥，那么应该把土豆煮熟然后放凉了吃。按照那个没有被广泛接受的"饱足系数"的概念，土豆是常见食品中饱足系数最高的。也就是说，在人体摄取同等热量的条件下，土豆是最能让人感觉"饱"的东西。

　　将土豆烤来吃也是不错的吃法。因为不引入别的食物成分，只是失掉一些水，所以烤土豆热量也比较低。基于不同的烘烤条件，每100克烤熟的土豆热量在八九十到一百多千卡之间，也算是低热量食品了。对于现代人来说，还有一种方便的吃法，即用保鲜膜包好土豆，放在微波炉中加热，可以接近煮土豆的效果。

　　土豆中含有比较多的维生素C，其含量比西红柿、菠萝、葡萄、李子、香蕉、桃、苹果、莴笋、茄子等要高至少一倍。不过，长时间的烘烤加热会破坏维生素C。从这个意义上说，我们传统的炒土豆丝是一种快速烹调方法，对维生素的破坏更少。

改性淀粉与体重控制

虽然世界上还有许多人为填饱肚子而挣扎，但是肥胖在发达地区却成为越来越大的问题。在西方国家，人们对于肥胖的关注远远超过了饥饿。各种各样的减肥食品、减肥手段层出不穷。然而，2003年世界卫生组织公布了一个结论：膳食纤维是唯一有令人信服的证据表明对于体重增加和肥胖有抵抗作用的食物成分。尽管其作用机理尚不明确，一般认为增加饱足感和改变与消化有关的激素分泌是可能的原因。目前，世界各国推荐每日的纤维摄入量在25～30克左右，但是绝大多数人都没有达到。

不管东方食品还是西方食品，都是以碳水化合物、脂肪和蛋白质为主。传统上人们的食物都是追求美味易消化，膳食纤维却与此背道而驰。尤其是可食性，更让人们远离纤维。具有纤维特性的"抗性淀粉"的发现，让可食性的问题得到了解决。不到二十年，抗性淀粉就从科学发现走向了商业化。联合国粮农组织和世界卫生组织的联合专家组评论说：抗性淀粉的发现，是过去二十年中认识碳水化合物在健康方面重要性的主要进展之一。

淀粉是最主要的食物成分之一，人类已经食用了不知道多少年。一般而言，淀粉进入人体之后，很快被消化吸收，转化成糖类，经过体内代谢提供给人体生命活动所需的能量。如果产生的能量超过了人体所需要的，就会储存起来，最后导致体重增加。人体"饥饿"的感觉往往跟能量需求并不一致，所以大吃大喝是肥胖最直接的原因。直到 20 世纪 80 年代，人们发现了淀粉中有一些组分能够满足食欲，却不会被消化吸收，因而贡献的能量为零。这种组分被命名为"抗性淀粉"。相应的，通常的淀粉被称为"快消化淀粉"，会在小肠内很快被消化吸收。还有一类被称为"慢消化淀粉"，它们能够在小肠内被消化吸收，但是速度比较慢，不会引起血糖浓度的大幅波动，对于糖尿病人也很有意义。因为消化速度慢，慢消化淀粉在满足"饥饿感"上也比快消化淀粉有优势，对于想要控制体重的人来说也很有意义。

　　不过，人们感兴趣的还是在小肠内根本不消化的抗性淀粉。我们知道淀粉是由大量单糖分子聚合而成，有的淀粉分子是一个接一个的一根长链，称为"直链淀粉"；有的是节外生枝，像棵大树一样主干分杈，杈上分枝，枝上再分小枝……这样的结构称为"支链淀粉"。淀粉在水里膨胀，加热的时候会互相交联，再降温回去的时候直链淀粉会形成紧密的晶状结构。这种结构在小肠内能够躲过消化酶的袭击，不被分解吸收，从而成为抗性淀粉。

　　抗性淀粉在体内的作用跟纤维一样，所以也被称为"第三类纤维"。它能够充饥解饿，但是又不产生能量，对于糖尿病病人控制血糖浓度，以及普通人控制体重非常有效。还有一些研究表明它有助于燃烧体内脂肪，也有助于减肥。另外，它进入大肠以后会成为益生菌的培养基，其代谢产物也有一些对人体有益的成分。

　　有一些食物的淀粉中天然含有一部分抗性淀粉，比如各种五谷粗粮、土豆、青香蕉等等。天然的抗性淀粉最大的弊端在于一经加工，大部分"抗性"就失去了。所以，人们只能把希望寄托在工业加工上。淀粉的改性一直是淀粉研究和工业生产中的重头戏。经过各种物理的、化学的、生物学的改造，天然的淀粉获得了许多可爱的特性。在 20 世纪 90 年代，几种经过化学修饰的高直链玉米淀粉陆续投入了市场。它们都能在经过食品加工之后还保持抗性淀粉的特性。

现在，经过化学改性得到的抗性淀粉在配方食品中得到了广泛应用。经过开发人员的努力，改性淀粉甚至能够成为"脂肪替代品"，在沙拉酱、火腿肠、酸奶、咖啡伴侣等产品中得到成功应用。这些"脂肪替代品"在外观、口感上足以以假乱真。尽管在味道上还有待于提高，但是考虑到它大大降低了能量摄入，还是相当受欢迎。

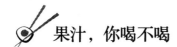 果汁，你喝不喝

有一次聚会，我说要给我家小姑娘倒点儿果汁，一个朋友说："你怎么能给孩子喝果汁呢？那是很糟糕的东西呀。"后来与从事科学传播的美女编辑 Amelie 聊天，说最近正在探究果汁的问题，她很诧异："喝果汁有问题吗？鲜果汁也有问题？"我仿佛看到了她瞪大的眼睛和难以置信的神情——对于许多现代时尚女性来说，喝果汁，尤其是喝鲜果汁，不仅是一件很有品位、很有情调的事情，据说还有"美容护肤"、"减肥瘦身"、"防衰老"之类最有号召力的功能。对此类时尚的挑战通常会引来一连串的批判，不过 Amelie 好歹是从事科学传播的，她定了定神儿说："那，还是把你探究的结果说来听听吧。"

反方：喝果汁导致肥胖

对果汁最大的批评就是其中的大量糖分。一杯 240 毫升的果汁一般有 100 千卡左右的热量，与公认为"肥胖饮料"的可乐差不多，与无糖饮料相比就更不可同日而语。虽然果汁中的糖是植物天然生成的，会被理所当然地当做"健康食品"，但是人体并没有高悬的明镜或者一双慧眼去识别进入体内的糖分是"天然"的还是"人工"的。所有的糖分都会被同样地对待，直接吃糖导致的任何问题，果汁中的糖也无法避免。基于这样的理由，有一些科学家和媒体认为果汁的热量太高，会导致肥胖。在儿童中间，这种影响更加明显。美国儿医学会推荐

1～6岁的孩子每天喝果汁不超过4～6盎司（一盎司约为28毫升）；
7～18岁的孩子不超过8～12盎司。

正方：果汁是水果精华

不管是科学界还是普通大众，普遍接受的观点是蔬菜水果有利于健康。世界卫生组织认为蔬菜水果食用不足是危害健康的十大因素之一。世界卫生组织和联合国粮农组织推荐人们每天应食用至少400克蔬菜水果，以预防如心脏病、癌症、糖尿病以及肥胖等慢性疾病。世界卫生组织认为当人们每天的蔬菜水果摄入量超过600克时，罹患疾病的风险会下降。

而果汁被大多数人认为是水果的精华。它含有水果中差不多所有的成分，尽管价格不菲，也还是越来越流行。

调查：以事实为依据

事实究竟如何呢？

首先，蔬菜水果被榨汁过滤之后，汁中确实保留了其中的糖、维生素、矿物质等成分，被丢弃的主要是不溶性纤维。纤维本身不提供热量，也没有什么"神奇"的作用，进入体内之后，它们会原封不动地进入大肠，成为大肠中的细菌的食物。细菌的新陈代谢会产生一些对人体有益的成分。另一方面，因为纤维不消化但是能够提供"饱"的感觉，从而减少人们吃其他东西的欲望，对于减肥是有利的。世界卫生组织推荐人们每天摄入25克纤维，不过根据调查，绝大多数人都达不到这个量。从这个意义上说，水果或者蔬菜榨汁，确实是扔掉了对人体健康很有好处的纤维成分。

那么，果汁会不会导致肥胖呢？最近的一篇综述分析了公开发表的关于喝果汁与肥胖关系的研究，发现只有一小部分研究的结论是喝果汁和肥胖之间有微弱的相关性。但是这些研究的实验人数都比较少，而且实验对象的选择缺乏代表性，所以这些结论的可靠性并不高。另一方面，其他的参与人数多、实验对象代表性强的研究都没有发现喝果汁能够导致肥胖。

果汁毕竟只是日常饮食的一部分。一种食物对于健康的影响，单单着眼于该种食物本身是远远不够的，必须还要研究它的食用对于其他食物摄入的影响。最近的一项大规模的研究考查了2～11岁孩子的饮食状况，然后比较喝果汁和不喝果汁的孩子在饮食组成和肥胖方面的差异。结果发现，喝果汁的孩子平均每天的饮用量是4.1盎司，他们的热量、碳水化合物、纤维、维生素C与维生素B_6、钾、锰、铁、叶酸等摄入量要高，但是钠盐、脂肪、外加糖分的摄入量则要低，而肥胖状况则没有差别。总而言之，在儿医学会的推荐量之内，果汁提供了人体所需的营养成分，但是没有导致肥胖。

判决：和稀泥的结论

没有争议的是，现代人的饮食中缺乏足够的蔬菜和水果。而榨汁丢掉了蔬菜水果中的膳食纤维——这是绝大多数人应该增加食用的。从这个意义上说，果汁不能当做水果的"精华"，它的价值比不上水果本身。

但是，至少没有可靠的证据证明果汁能够导致肥胖。毕竟，喝了果汁，会相应减少别的食物的摄入量，而果汁中带有的维生素和矿物质则保留了水果的价值。

所以，Amelie们还是可以放心了。如果实在喜欢果汁的"品位和情调"，至少不用担心喝果汁长胖的问题。不过，出于最大限度地利用水果的营养成分，还是直接吃水果的好。

聚议厅

Aiger:

应该说，现在有好些果汁已经不是滤得很清了，很黏稠的或者加了果肉，里面还是有很多的纤维(还很贵……)。

云无心：

"黏稠"也有可能是增稠而来的。增稠本身也没什么，只是不像它所暗示的那样营养丰富。

Sunfield：

还有个实际问题，是现在饭店里的果汁，造假的太多。用浓缩香精色素加少量水果榨汁勾兑的，或者用变质水果做的……

云无心：

用浓缩香精和色素制作果汁，只要其中没有非法成分，做出来的果汁本身并没有问题。问题在于当成果汁卖，就是一种严重的欺骗行为。至于变质水果，那就更是执法部门需要追究的了——变质水果，必然导致某些成分异常……

Justso：

我倒觉得目前果汁的问题在于：市场上销售的纯果汁，都是浓缩果汁兑水调制出来的，和真正的鲜榨果汁完全不同，这也许符合本文描述的内容。还有相当大一部分厂商，生产的其实是果汁饮料或者果味饮品。对于前者，国家规定果汁含量不得低于10%，后者更少，只有5%。大多数人喝到的都是添加了大量糖分的果汁饮料，甚至是果汁含量不到5%的果味饮品。回到前面，即便是纯100%果汁，经过浓缩、储藏、运输、兑水一系列过程，其成分与原果也有了较大的区别。

86

本文提到的不可溶物质主要是纤维素这没错，但很多不溶性微量和痕量物质在榨取过程中也丢失了，某些微量甚至痕量物质对人体的作用举足轻重。

云无心：

　　关于果汁，各国规定不一样，我不知道中国的标准是什么样的。在美国，100％果汁不能加入任何东西。浓缩之后加水的产品不能叫做100％果汁，其他果汁饮料就更不能叫做果汁了。关于营养成分，目前一般认为食谱中的"一杯水果"可以由一杯100％果汁来代替，当然是不考虑纤维的问题。

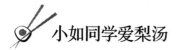

小如同学爱梨汤

科学松鼠会有位温柔可爱的小如同学，经常会问一些有关吃的问题。这是一次聊天记录。

小如（害羞地）："我……我……可不可以问个关于吃的问题……"

云无心（暗喜，哈哈，又可以显摆了）："别客气，别客气，问吧问吧。"

小如："那个……梨子和冰糖一起煮……会不会有事啊？"

云无心："有事？有什么事？"

小如："别人说，会损失营养的啊？"

云无心："梨子啊，营养成分主要是糖、纤维、维生素、矿物质。糖、纤维、矿物质，基本上都不会损失啥的。维生素呢……"

小如（紧张地）："对对，就是维生素，咋样？"

云无心："不同的维生素在食物煮熟过程中会或多或少损失一些，一般在10%～25%之间……"

小如（痛心地）："也不少呢……"

云无心："其实吧，梨子里面含有的维生素本来就不多，100克梨子能提供的维生素一般也就一天需要量的百分之一二，维生素C多点儿也不过百分之七八……"

小如（失望地）："这么少啊……"

云无心："风清扬前辈说过，如果你根本无招儿，别人还破什么？"

小如："啥意思？"

云无心："这梨子中呢，本来就没多少维生素，就像那个剑法无招一样。所以啊，损失不损失都没有什么关系了……还是吃点儿别的水果或者蔬菜效率高……比如想要补维生素 C，就吃橘子，橘子里的维生素 C 含量是梨子的十倍还多……"

小如："那……吃梨到底有什么好处呢？"

云无心："含糖不少，也提供热量啊……哦，现代女性不想要这个……纤维素啊，这个现代人很缺的……"

小如（着急地）："可是……我不吃煮过的梨，只喝汤的啊！"

云无心："啊？早说啊……那维生素就更没什么了，你直接把它忽略掉就行了……"

小如（不甘心地）："那……难道就没有一点儿好处啦？"

云无心："有啊……第一，多少有点儿可溶性的纤维素……第二，多数糖到汤里了……第三……没毒……"

小如（很失落地）："一点儿好处都没有？"

云无心："其实吧，没有坏处，你又喜欢喝，就是好处啦……哦，对了，你这又是冰糖，又是梨中的糖，不担心长胖的吗？……好像小女生都很怕的呢……"

小如（不好意思地）："想吃的时候先忘一会儿……吃完了我就跳，我跳，我跳跳跳……"

云无心："嗯——不错不错，把吃进去的热量都消耗掉了就行了……"

小如（担心地）："那……我老了会不会得糖尿病啊？"

云无心："糖尿病啊？不清楚……好像跟遗传的关系大一些吧……当然，如果比较胖的话呢，可能会患上许多跟肥胖有关的疾病……"

小如（呜呜）："可是……我就是喜欢吃甜的嘛……炒菜还放一大勺糖呢……"

云无心："也别只是盯着放的糖啦，主要是摄入的总热量和消耗的总热量之间的平衡……来自糖啊、米饭啊、零食啊、饮料啊……什么东西的热量都是一样的……只要总量不多就没关系，在这儿多吃点儿，就在那儿少吃点儿也行……"

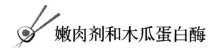

嫩肉剂和木瓜蛋白酶

在人们对现代食品的质疑声中，"嫩肉剂"的盛行也让人疑窦丛生。它可以让本来很"老"很"干"的肉变得嫩滑，但这种"非传统"的东西会不会带来危害？其实，它既非中国独创，也谈不上"现代"。为了全面认识这个东西，我们先从肉说起。

肉如何"变嫩"

瘦肉的主要成分是蛋白质，人们感觉肉"老"是其中的胶原蛋白之类机械强度高的蛋白在搞怪。在把肉煮熟的过程中，这些蛋白会变性甚至水解，失去机械强度，因而变"软"。但是通过加热来实现这一目标的效率并不高，所以人们自然想到如果能用某种物质把这些蛋白分解掉，那么肉就会变"软"变"嫩"了。这样的东西就被称为"嫩肉剂"。

从生物学的角度来说，能够最有效地分解蛋白质的就是蛋白酶。蛋白酶本身也是蛋白质，它们可以在某些位置把蛋白质断开。自然界存在的蛋白酶非常多，比如人体内就有胃蛋白酶、胰蛋白酶等等。从理论上说，任何蛋白酶都可以用来处理肉而实现"嫩肉"的目标。

市场上的"嫩肉剂"是什么

嫩肉剂不是什么新鲜玩意儿，在世界各地早就有了各种各样的产品。目前用得最广泛的嫩肉剂中的有效成分是木瓜蛋白酶（papain），此外，还含有淀粉和食盐等。木瓜蛋白酶负责把肉中的蛋白质分解，而淀粉的作用跟传统烹饪中的勾芡一样。淀粉附着在肉的表面，在加热过程中变性交联，形成一层薄膜包在肉的表面，以减少肉中水的流失，也起到让肉嫩滑的作用。

如果割开未成熟的木瓜，就会有乳液流出。南美的土著人在几千年前就发现了这种乳液或者乳液提取物可以让难以煮烂的肉变嫩。从这个意义上说，以木瓜蛋白酶为基础的嫩肉剂有了几千年的使用历史。到了近代，人们分离鉴定出其中的有效成分，就是木瓜蛋白酶。

相对于其他的蛋白酶，木瓜蛋白酶的稳定性很好。一般的酶都比较"娇气"，对于工作环境的要求比较高，酸碱度不合适就失去工作能力，温度不合适也罢工。而木瓜蛋白酶比较皮实，酸性、碱性甚至相当高的温度下，都还兢兢业业地工作，自然备受人们喜爱。有了几千年的使用历史，又是来自于木瓜这样的"纯天然"产品，所以人们自然而然地相信它对人类很友好。在世界各地，尤其是中国，木瓜蛋白酶几乎是食品工业中使用最广泛的蛋白酶。

其他的一些植物蛋白酶也受到了关注。比如菠萝蛋白酶（bromelain），在国外已经得到了比较广泛的应用。相比于木瓜蛋白酶，菠萝蛋白酶比较"娇气"，对工作环境的酸度和温度要求都比木瓜蛋白酶的高，菠萝蛋白酶到了65℃以上就会失去工作能力，而木瓜蛋白酶在90℃的环境中还有相当的战斗力。

木瓜蛋白酶，不仅仅是"嫩肉"

木瓜蛋白酶的应用不仅仅是"嫩肉"。因为它能分解蛋白质，人们相信它能够清除人体内坏死的组织，所以木瓜蛋白酶在医药上有着广泛的应用，比如清理伤口的坏死组织，分解蚊虫、蜜蜂叮咬产生的毒素，等等。百度百科列出来的作用更多，"含有木瓜蛋白酶的药物，能抵抗癌症、肿瘤、淋巴性白血病、原菌和寄生虫、结核杆菌等病症，可消炎、利胆、止痛、助消化，还能治疗妇科病、青光眼、骨质增生、枪刀伤口、昆虫叮咬等"。

既能帮助烹饪又能治病，化妆品行业当然不会放过。在"纯天然"的号召之下，"木瓜美容护肤"的产品也层出不穷。在加酶的洗涤用品中，这种能耐高温的酶自然也很受欢迎。在饲料行业中，用蛋白酶水解饲料，可以提高饲料的利用率，木瓜蛋白酶也当仁不让。

FDA 在行动："天然"与"历史"都保证不了安全

因为木瓜蛋白酶是人类使用了几千年的天然产物，它在 1962 年进入美国医药市场的时候也没有受到审查。人们想当然地认为它不会有安全性的问题。到目前，美国市场上含有木瓜蛋白酶的药物多达三十几种。

最近，FDA 开始出手对付含有木瓜蛋白酶的药品。事情的起因在于 FDA 收到了三十七份这类药品严重副作用的报告，包括血压降低、心率加快等超敏症状，最严重的是服药十五分钟之后休克。FDA 对这些副作用的形容是"有害，甚至是致命的"。除此之外，对木瓜乳液过敏的人也可能对木瓜蛋白酶产品过敏。

确切地说，现在还没有明确证据证明那些副作用就一定是木瓜蛋白酶导致的。但是在这些副作用的案例中，木瓜蛋白酶都出现在了"案发现场"，所以就被"隔离审查"了。在食品药品管理中，实行的是"有罪推定"原则。恶性案件发生了，只要你出现在现场，或许你只是去做现场报道，或者路过打酱油，同样会被认为"可能有罪"而被当做"有罪"进行处理。人类对于医药食品是不讲"人权"的(它们本来也不是"人"么)，通行准则是"宁可错杀，不可放过"。所以，

"千年的使用历史"、"纯天然的来源",都改变不了它的困境。

FDA 的通告是 2008 年 9 月底发出的,要求在 2009 年 1 月之后所有未经 FDA 批准的木瓜蛋白酶药物将不得销售。要还它以清白,必须当做新药申请认证。也就是说,申请者必须提供足够的关于有效性和安全性的实验数据,来证明该药物可以使用。在此之前,木瓜蛋白酶即使是含冤的,也无法得到同情。

嫩肉剂中的木瓜蛋白酶,何去何从

FDA 没有对食品工业中使用的木瓜蛋白酶采取行动,只是在针对药品的那个通告中提了一句"公开发表的文献也描述了一些含木瓜蛋白酶的产品导致的超敏症状,这些产品包括嫩肉剂、隐形眼镜护理液以及美容产品中的除胶剂"。那么,嫩肉剂中的木瓜蛋白酶,该如何对待呢?

现在还不知道那些副作用是如何产生的,也就不知道木瓜蛋白酶以什么方式起作用。嫩肉剂分解蛋白之后,还要经过高温烹饪。在肉类烹饪的温度和时间下,酶的活性将会丧失。换句话说,如果这些副作用是酶的活性产生的,那么就不用担心嫩肉剂了。

但是,如果那些副作用是由木瓜蛋白酶中的多肽引起的,那么问题就比较麻烦了。酶是由氨基酸组成的,这些氨基酸互相连接成为一条或者几条"链子",而这些链子能够缠绕折叠形成特定的造型。酶的作用要依靠这些特定的造型来实现。加热使酶失去活性,酶只是失去了正确的造型,氨基酸组成并没有改变。氨基酸组成的多肽可以通过免疫反应等等发生作用。有人说蛋白质吃到肚子里后都会被分解成氨基酸,不会再产生危害了。这其实是不准确的。虽然大部分蛋白质会被分解成单个氨基酸,但仍可能有小部分很顽强的多肽幸存了下来。恐怖分子并不需要大部队,如果破坏能力足够强的话,这部分多肽也

我们不为人类而生。

可以对人体产生危害。在今年的美国化学年会中，就有人报道了某些蛋白在人体内会被消化掉97%，但是另外的3%也足以对人体产生影响。当然，他们研究的是好的影响。

对于嫩肉剂中的木瓜蛋白酶来说，到底会是上面所说的哪种情况实在是难下断语。有人会以"南美人民吃了几千年"或者"纯天然产品"为嫩肉剂辩护，也有人会以"既然含有它的药物差点儿要了人命，谁知道在嫩肉剂中的会不会有害"为理由来拒绝。科学研究的现状和病例统计的结果告诉我们人类对于这个东西的认识到了什么程度，而基于这些认识该作出什么样的决策，却是主管部门的事情。或者说，是社会的选择。

不过，如果你家里有嫩肉剂又不想吃的话，可以用来涂蚊子或者蜜蜂叮过的地方，没准儿有效。

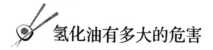

氢化油有多大的危害

有位叫木木的网友在我的博客上留下了这样一个问题：

> 最近央视的《人物新周刊》节目做了一个有关健康的专题，回顾了往期节目中所讲的食品安全和食品营养片段。其中，一位教授声泪俱下地说到了洋快餐中使用氢化油，其中含有反式脂肪酸，对人体十分有害。
>
> 不知道这东西到底有嘛危害，危害多大？

之所以在这里谈对这个问题的一点儿看法，是源于"声泪俱下"这四个字。后来古狗了一下那位教授，大致了解了一下这位"专家"的观点。他所掌握的食品营养养生方面的资料真是挺丰富的。他的主要主张基本上是说我国传统的饮食习惯很好，食疗很重要，"以形补形"之类的"经验科学"有着深刻的科学内涵，而现代工业化的快餐食品是"现代病"的来源，应该坚决摒除。对于反对"洋快餐"的立场，我一点儿异议也没有。洋快餐本身有着各种各样的弊端，它的出现也并非为了健康，而仅仅是为了方便。如果说胡同口的盒饭没有营养，要"声泪俱下"地反对，这大概是一件很可笑的事情。但是"洋快餐"本来就是一种类似于胡同口的盒饭那样的食物，在我们的社会里得到了不应该有的追逐，"食品营养专家"们告诉大家事实真相是他

们的本分。如果出于某种既定的立场，为了反对而有选择地使用一些数据，却不见得就是科学的态度。

反式脂肪酸全称是"反式不饱和脂肪酸"。植物油主要是不饱和脂肪酸，分子结构中有一些双键。双键的存在使得植物油的熔点比饱和脂肪酸（动物油的主要成分）要低，因而在常温下是液态。因为通常的植物油比动物油要便宜，人们倾向于使用植物油炸食品。但是，双键的存在使得植物油稳定性较差，在高温过程中会发生各种变化，如氧化分解，以及异化成反式脂肪酸。工业上就出现了对植物油进行加氢的处理。通过催化反应，把不饱和的双键变成了单键，稳定性增加了。但是，后来人们发现，加氢过程中有一部分双键由顺势结构变成了反式结构。这样，就有了四种类型的食用油：天然饱和的动物油，加氢饱和的植物油，部分加氢的植物油，还有不加氢的天然植物油。

在这其中，饱和的油不管是天然的动物油还是加氢饱和的植物油，都能够承受更高的温度，对于油炸食品有利。但是饱和油对于人体健康也有不利影响，医学统计结果表明大量食用饱和油会升高冠心病等疾病的发生风险。天然植物油被认为是安全可靠的食用油，但是能够承受的温度要低得多，不太适用于油炸食品。部分氢化的植物油介于二者之间，但是加氢过程中一些未被加氢的双键会由无害的顺式结构异化成有害的反式结构，这就是反式脂肪酸的来源。换句话说，只要是油炸食品，不管用上述的哪种油，对于人体健康都有着不利的影响。

不吃油炸食品当然就没有问题了，但是食物对于人们来说，并不仅仅是满足营养需求。对于中国人而言，满足"口腹之欲"甚至更为重要。在中餐里，油炸食品也并不少见，非油炸食品对人体有害的也有很多，但这并不妨碍人们享受这些食品。所以，"危害有多大"就是一个很有意义的问题了。

因为反式脂肪酸对于人体没有显而易见的好处，倒是跟心血管疾病的发生有一定关系，所以世界卫生组织、美国 FDA 这样的组织没有推荐一个食用量，而是摄入越低越好。哈佛等研究机构进行的大规模统计表明，每天摄入的热量中来自于反式脂肪酸的部分每增加两个百分点，冠心病的发生风险会升高一倍左右。而食用饱和的动物油也会增加冠心病的风险，只是导致同样风险所需要的量要大几倍。不过考虑到氢化油通常并不直接食用(炸东西的时候只有一小部分附着在食物上)，而动物油则直接被吃掉，比如肥肉、炒菜的油等等，动物油的危害也不可小视。FDA 等机构推荐每天摄取的热量中来自于反式脂肪酸的部分不应超过 1%，这个量大致相当于食用 2 克的反式脂肪酸。大家可以算算即使是最喜欢洋快餐的人，平均每天能够吃多少薯条、炸鸡，其中带有多少油，假设其中 50% 是反式脂肪酸（实际应该比这个低），总共吃进的反式脂肪酸有多少，从而可以估计一下吃的那几顿快餐中反式脂肪酸的危害有多大。

自从反式脂肪酸对于人体健康的负面影响被广泛接受之后，FDA 要求美国食品中必须标明反式脂肪酸的含量。这一政策的直接结果就是各大食品公司纷纷开发使用不含反式脂肪酸的油。科学确认的危害必将由科学的方式来解决。反式脂肪酸也并非快餐食品的必然产物，而只是一种选择。有了法律的调控，科学家们必然能够寻找到解决的方案，从而消除这种危害，现在已经有一些大食品公司宣布使用不含反式脂肪酸的油。倒是那位教授主张的"食疗"，动辄古人怎么说，用古人的话来代替现代科学的分析，颇有不负责任的嫌疑。

很多食品，比如腌制食品、鸡蛋、牛奶、猪肉，还有我们喜欢的油条，甚至豆制品，其中都有一些成分对于人体健康有负面影响。在某些情况下，这些负面影响并不比这些洋快餐中的反式脂肪酸小。我们应该告诉大家科学事实，而不是有选择性地提供一些数据，去为某些有偏见的理念辩护。

为了避免无谓的口水战，我得明确地说：那位教授主张的"均衡营养"，完全符合现代食品科学。他对于"洋快餐"食品的反对，我也没有异议。我所想强调的，是他用来反对的理由并不合理。我们应该反对不好的东西，但是同样要有可靠的理由。

 聚 议 厅

Testing：

有没有用天然植物油炸的食品呢？如果有的话，对健康的影响如何呢？谢谢……

国际鱼贩：

其实我们家里用的油，比如菜子油、花生油、橄榄油等，都是您所谓的天然植物油。接下来的问题，您自己想想就懂了。

Testing：

谢谢回复，我又看了一下博文，努力地想了想，还是没全懂，可能是我太笨了，植物油油炸时容易被氧化和分解，那么氧化或分解的产物是什么？对人类的安全性如何呢？相对于动物油和氢化油，哪个更好一些？另外，某些网页声称橄榄油适合高温烹调，某些网页提供了相反的结论，哪个对呢？或者都对、都不对？

云无心：

橄榄油不适合炸东西，其冒烟温度比较低。前一篇文章是典型卖保健品的写法。植物油氧化分解的产物比较复杂，而且每次的实验结果还不一样，对于人类的安全性也没有很确定的结论。一般而言，没有好处的东西就尽量避免。烹调和炸东西的时候不要用太高的温度是关键。

青方:

植物油在高温处理后也能产生 Trans(反式)脂肪，Trans 脂肪对人体的危害要比想象的更严重，有人干脆把这个 Trans 脂肪比做农药，没有人认为每天吃进多少农药对人体是无害的，所以理想状态就是不吃任何含反式脂肪的食品，这些食品包括饼干、烤的蛋糕、油炸食品等等，但这个又是不可能的。危害包括高血脂、冠心病、乳腺癌、妇女生育能力下降等。

云无心:

FDA 那个规定的来源是一些食品中天然含有反式脂肪酸，完全禁止的社会成本太高。其实其他很多成分的规定也是如此，并不是说在什么限量以下就绝对安全，而是在潜在的危险和社会成本之间的一种平衡。就像前段时间讨论的水中的溴酸盐，如果把某种疾病的发生率从十万分之一增加到了万分之二，增加两倍可以算"显著影响"了，社会愿意为避免这个差别付出多少成本是制定标准的关键。

 软饮料禁售，冤不冤

软饮料泛指各种不含酒精的饮料，实际生活中更多情况下是指带甜味的碳酸饮料。当软饮料的销售量世界性地稳步上升的时候，对软饮料的质疑声也越来越多。目前，英国和法国已经禁止在校园内销售含糖软饮料。在美国，洛杉矶、费城、迈阿密等城市也对软饮料在校园内的销售实施了禁止或者严格的限制，加州更是在2005年对这种限制进行了立法，而其他许多州则在考虑跟进。支持这种禁令的人士认为软饮料对于孩子们的健康构成了严重威胁，而反对的人则说这对软饮料不够公平，而且软饮料的销售为学校带来相当的收入。当然，也有和稀泥的中间人士说应该允许软饮料的销售，但是应该要求同时销售价格相当的果汁或者经过调味的水等。

那么，从科学的角度来说，软饮料被禁，冤还是不冤呢？

对于含糖软饮料导致肥胖的怀疑，从软饮料诞生的年代就开始了。多年来人们进行了很多研究，2006年《美国临床营养杂志》发表的综述对于1966年至2005年间Medline（美国国家医学图书馆）数据库里发表的相关文献进行整理，找出了三十篇作者认为结果比较可靠的文章。而在2007年《美国公共健康杂志》上发表的综述，则对Medline和psycINFO（心理学文摘）数据库中所有文章进行了关键词搜索，并且加上被搜索到的文章的参考文献。他们还向这些文章的作者发信，要求提供相关的未发表的论文，并且请他们把这一要求转发给其他研究者。

最后，这篇综述的作者总共收集了八十八篇对于含糖软饮料的研究。

经过对这些文献的汇总分析，两篇综述的结论非常一致：软饮料的饮用与人体能量摄入以及体重增加密切相关。后一篇综述还对软饮料在其他方面的影响进行了总结，发现软饮料的饮用降低了牛奶的饮用量，降低了钙等营养成分的摄入，还增加了罹患糖尿病等疾病的风险。这些研究结果支持了在校园里禁止销售软饮料的政策。从这个意义上说，软饮料被禁，也并不冤枉。

但是，从含糖软饮料"作恶"的机理来看，似乎它被禁又很"冤"。比较多的实验研究发现，软饮料本身并非"大奸大恶"，它所导致的问题来自于其中的糖分。人体使用糖，也就摄入了能量。摄入的能量超过了生命活动所消耗的，多余的那部分就在体内储存起来，转化成体重。饮料中的糖，并不比别的食物中的糖更"坏"。如果说饮料中的糖有错的话，就是它只管解渴，不怎么能让人产生"饱"的感觉。所以，通过喝饮料已经摄入了很多能量了，还是会吃其他食物解决肚子的意见，最后很容易导致摄入的总能量过多。糖尿病的问题就是由糖产生。而软饮料喝多了，自然也就减少了牛奶的饮用量。牛奶是含钙丰富的饮食，减少了牛奶的饮用量自然也就减少了钙的摄入。可见，饮料本身并无"罪过"，都是人们难以控制自己的欲望，最后把账都算在了饮料的头上。不过，孩子们缺乏足够的判别自制能力，软饮料虽然冤枉，却也无可奈何。饮料公司面对这种禁令，也只有接受的份儿。

无糖饮料的出现似乎解决了含糖饮料的问题。糖替代品在提供足够甜味的同时几乎不带有任何能量，糖的优点有了，毛病却没有，可以说是魅力无限。的确，在许多软饮料的研究中，使用糖替代品的实验组都显示了非常美妙的结果。许多对无糖饮料的质疑，其实是集中在糖替代品的安全性上。不过，科学界的主流结论和食物监管机构的意见认为那些糖替代品是可以食用的，至少在日常的使用量下对于人体健康并没有不良影响。

2005 年得克萨斯大学健康科学中心在美国糖尿病联合会年会上发表的一份报告却让人大跌眼镜。这项研究收集了七八年针对 1550 人的数据。结果表明，大量饮用含糖饮料的人体重超标乃至肥胖风险增加，每天饮用一到两罐含糖软饮料的人肥胖概率是 32.8%。这并不让人意外，意外的是每天饮用一到两罐无糖饮料的人肥胖概率是 54.5%，即使每天只喝一罐的人，肥胖概率也高达 41%！不过，这项研究结果只是很有娱乐功能，却不能作为一个科学结论。正如这项研究的组织者所指出的那样，这项研究结果并不能说明无糖饮料更容易导致肥胖。一种可能的原因是，当一个人的体重开始增加的时候，他更倾向于喝无糖饮料，但是即使喝无糖饮料，他还是会因为别的原因继续变胖。在统计数据的时候，他就会被记入喝无糖饮料而肥胖的数据中。换句话说，喝无糖饮料是变胖的一种伴随现象而不是原因。

不过，除了上述的原因之外，无糖饮料是否还会带来别的结果是个很有趣的问题。普度大学心理系最近发表了一项研究，分别用糖精和葡萄糖喂老鼠。在相同的甜度下，糖精不含有能量，而葡萄糖含有的能量比蔗糖的还高。结果发现，喂糖精的那组老鼠食量大增，导致体重增加。葡萄糖虽然本身含有较高能量，但老鼠的食欲不高，体重反倒比喂糖精的那组要低。心理学家解释说，动物可能把食物甜度作为能量需求的预测指标。当我们食用糖替代品的时候，身体会认为能得到大量能量，但是没有得到，于是就会从别的食物中寻求。换句话说，糖替代品虽然不含能量，却刺激了食欲，导致了人们吃更多的东西。不过，有别的研究者不同意这种解释，说我们是人，知道自己在吃什么。

看起来，软饮料本身并没有罪，有罪的是不合理的饮用。对于不担心肥胖的人来说，软饮料没有什么大不了的。对于要控制体重的人，软饮料，尤其是含糖软饮料，还是敬而远之的好。

蔬菜 PK 水果

Amelie 说现在越来越多的人认识到了蔬菜水果对于健康的重要性，许多人甚至只吃蔬菜水果来减肥，那么蔬菜和水果有什么区别？吃哪个更有效果呢？我说：那你先告诉我，蔬菜和水果如何区分？Amelie 于是给了我一个"最准确"的答案：水果摊上卖的是水果，蔬菜摊上卖的是蔬菜。可是我到美国的超市里一看，就又糊涂了：蔬菜和水果是放在一起卖的！

什么是蔬菜，什么是水果

蔬菜和水果都是取自植物的可以吃的部分。虽然我们一般可以很容易地把一个东西归到"蔬菜"或者"水果"中去，但是蔬菜和水果本身不是一种科学的分类，更多的是一种习惯，所以 Amelie 那个根据摊位的分法倒是最准确的。

一般而言，水果是指这样一类食物：含有植物的种子，通常甜而且多汁。而蔬菜，中文维基和百度的定义是可以烹调做菜的非粮食植物部分。这样的总结大致也算合理，不过还是有许多例外。比如说，西红柿、黄瓜都含有种子而且多汁，如果因为不够"甜"而被从水果大家庭中开除的话，柠檬、葡萄柚、猕猴桃等等没有人怀疑成分问题的水果更加"不甜"。樱桃西红柿和小胡萝卜，经常被当做水果来吃。而蘑菇，根本不是植物，但是从来都被当做蔬菜。再比如，甘蔗，算

104

蔬菜还是算水果呢？

　　所以，蔬菜和水果的划分更多的是一种传统主观的认定。在"蔬菜"和"水果"之中，都有大量的组成特点完全不同的成员。我们可以比较精确地谈论某一种蔬菜或者水果的"营养成分"，但是笼统地比较"蔬菜"和"水果"，就像比较北京人和上海人谁更"好"一样难下结论。

"蔬菜"和"水果"的"大特征"

　　Amelie 说，蔬菜和水果，在总体上总还是有一些差别的吧。所以，这里所说的"大特征"，就是说大体上有这样的一种趋势，但是不管是蔬菜里还是水果里，都有许多违反这些"大特征"的例外。

　　一般而言，水果含有的糖要比蔬菜的多，所以会更甜。如果担心糖的摄入量，有些水果确实在这方面不如蔬菜。而在蔬菜含有的碳水化合物里，纤维素的比例比较高。在产生相同热量的前提下，许多蔬菜会含有更多的纤维。这对于减肥来说，可能会有利一些。在我们的生活环境中，阳光、吸烟、空气污染等都会让身体产生一些自由基。这些自由基容易让人体敏感脆弱的部分，比如眼睛，受到损伤。深绿色的蔬菜，如菠菜、甘蓝等，含有丰富的叶黄素、玉米黄素等具有抗氧化功能的色素，对于清除这些自由基有一定作用。那些颜色鲜艳的水果，比如猕猴桃、葡萄等等，同样也富含这样的色素。

吃蔬菜还是吃水果

　　现在的研究结果表明，经常食用蔬菜水果有助于降低人体衰老导致的慢性病的发生风险。比如，有一项大规模的实验，跟踪了 11 万人 14 年的饮食习惯和健康状况，证实每天吃四杯以上蔬菜水果的人，心脏病的发生率会比每天只吃不到一杯蔬菜水果的人要低。在这项实验中，对于蔬菜和水果是不做区分的。

还有许多研究是针对具体某种蔬菜水果对于健康的影响的。一般而言，这些研究找出蔬菜水果的某些特定成分，然后研究该成分对健康的有利或者不利影响。比如菠菜，它可以提供丰富的维生素，同时也含有无益甚至有害的草酸。这样的研究比较确定，也可重复，经常被大众媒体或者商家引用。

不过，应该注意到，蔬菜水果的这些影响，程度都是比较微弱的。比如说，上面所说的蔬菜水果降低心脏病发生率的影响，其实差别只有 30%。如果认为天天吃蔬菜水果就不会得心脏病，显然是江湖游医的说法。另外，过多地关注某种蔬菜水果的营养价值，也没有太大的意义。饮食对于健康的影响，都是慢性和微弱的。无论是有益还是有害的影响，都只是在一定程度上影响发生的可能性。也就是说，不可能通过长期大量地吃某种"营养价值高"的蔬菜或者水果来治疗或者预防某种疾病，倒是可能导致某些问题出现。

人体是一个很复杂的整体，蔬菜水果也各自都是很复杂的整体。它们不为人类而生，所以不会"完美"地含有人体所需的所有营养成分。我们只是利用复杂的它们来满足我们复杂的需要。我们甚至不完全清楚我们到底需要什么，也不完全清楚它们到底都含有什么。所以，多样化地食用这些复杂的食物就是目前最好的选择。哈佛公共卫生学院的报告指出：没有一种蔬菜或者水果能够提供健康所需要的所有成分，蔬菜水果的多样化和食用量同样重要。

所以，探讨蔬菜好还是水果好没有太大的意义。对于现代人来说，在蛋白质、脂肪、糖类摄取过多的现状下，尽可能多地食用蔬菜水果会有益健康。不过，"全面均衡"才是营养的根本。如果长期只吃蔬菜水果，以此来"减肥"就过犹不及，同样不健康了。

其实，"吃蔬菜还是吃水果"本身不是问题。不同的蔬菜之间，不同的水果之间的差异，可能远远大于通常认为的"蔬菜"和"水果"之间的差异。对于多数人来说，水果毕竟还是要方便好吃得多。比如，我们可以带着一袋子香蕉、苹果或者梨去郊游，谁愿意带棵大白菜或者一捆芹菜去呢？

 聚议厅

崔略商：

"上面所说的蔬菜水果降低心脏病发生率的影响，其实差别只有30%。"这句话我有疑问。我觉得30%不是"只有"，而是非常高了。我想问的是，有这么高吗？

云无心：

许多食品对健康影响的差别大概就是这种数值。在统计学上说有显著性差异，就普通公众的期望来说不算高。

稻草人：

如果患病率高30%你觉得高了，那么说患病率高0.3你觉得高吗？其实是一回事呀。相比之下，一些因素可以把生病危险提高几倍，那0.3岂不是很低了？还有，疾病本身就是很少见的，人群中患病率在5%以下，所以5%乘以0.3，低30%也就是4.5%。你觉得A长期吃水果患病率为5%，B不吃水果患病率为6.5%，你觉得高很多吗？那么再换一个，如果这个病很罕见，发病率只有0.1%（千分之一），那吃水果患病率为0.1%，不吃水果患病率为（0.1 + 0.1 × 0.3）%=0.13%，你还觉得高很多吗？数字游戏，呵呵。还有绝对危险和相对危险的意义。

崔略商：

我为什么觉得30%太高呢？因为对于这种慢性疾病，一般的干预预防手段能将发生率降低几个百分点就算很不错了，30%是好得不得了的成绩。比如，UKPDS（英国前瞻性糖尿病研究）中强化降糖对心血管疾病等糖尿病并发症的降低效果，好一点儿的结果也不过32%，综合一系列研究的结果只有19%。甚至有的研究发现维生素C、维生素E等抗氧化剂不能预防冠心病，所以我觉得30%高得有点儿难以置信。

云无心：

关于我文章中所用的数据可见哈佛公共卫生学院网站上的一篇文章《蔬菜和水果：每天都要多多吃》(Vegetables and Fruits: Get Plenty Every Day)。

稻草人：

我觉得这种研究的数字只是参考作用，因为在数据分析上很tricky（微妙），有意无意加个变量少个变量，或者把变量重新分组，对于50%以下的风险都可能产生很大影响，而像你说的只有百分之几的风险，除非有很大的样本量，否则，统计学上很难有意义。云无心给出的链接中的研究说的是心血管疾病的总风险，不知道单算冠心病会怎样。并且，这个30%比较的是吃得最多的和最少的两个组，不知道中间组的数据怎样。还有，那个研究显示水果和癌症也没什么关联。营养学的流行病研究中很容易有混杂因子，不知道这个研究怎么处理潜在的混杂因子的，比如说喜欢吃蔬菜水果的人也许本身就有更健康的生活方式。对于慢性病很无奈，危险因素多，预防也没什么太好的办法。可能就像你说的，30%也算是很高了。

云无心：

稻草人说得很对。流行病学调查的结果在作为"科学证据"上的可靠性是比较低的。我正在写一篇FDA对于各种"抗癌食品"的态度，他们就经常对申请者提交的学术论文（权威的刊物）说"不足以做出结论"。所以，许多媒体在报道这类研究的时候，经常加入自己的过度解读。

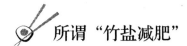 所谓"竹盐减肥"

有朋友说现在"竹盐减肥"炒得很热，问我这个东西有多靠谱儿。其实，竹盐进入中国至少有十几年了，最初是在"高档牙膏"中出现的。大概是牙膏再高档也还是不如减肥产品有号召力，所以"排毒减肥"的竹盐产品又进入了人们的视野。

不过，竹盐其实不是新东西。在韩国，它大概可以算得上是"民族瑰宝"了。古时的僧侣把盐装在精心选择的竹筒中，用天然的黄土封上，再用特定的松枝烘烤，最后得到的固体粉末就是竹盐。这个过程往往要反复进行，"好"的竹盐会进行九次。古代韩国人用这样的竹盐来治疗多种疾病，据说有"奇效"。这样的炼制过程颇有中国道家炼丹的意味——精选的材料、长时间的炼制，所以在对竹盐的宣传中，经常宣称集中了"大自然的精华"和"几十种微量元素"，具有"抗氧化"、"清除自由基"、"消炎"、"杀菌"、"排毒"和"减肥"等功效。

对于这样的"民族瑰宝"，韩国人自然很骄傲。他们也希望用现代科学的方法去证明祖先的神奇。在权威的生物医学论文数据库中，能找到零星的几篇对竹盐进行现代科学研究的论文。这些论文基本上是用竹盐去处理体外培养的细胞或者人为致病的老鼠，观察到了竹盐的一些效果。不过，这样的研究结果实在是太过初步，只能提供一些猜想，还远远没有进入针对人类的实验，也就完全不可能被任何一个国家的主管机构认可。而且，在这些不会被认可的"竹盐功效"中，也没有一项跟排毒、减肥能扯上关系。另一方面，韩国科学家们也老老实实地承认，还不清楚为什么竹盐与普通食盐有这些不同的功效。

至于有关竹盐的广告中宣称竹盐中的有机物进入人体后如何如何，则完全是臆想。竹盐的烘烤温度高达 1000℃～1300℃，在此温度下有机物会被烧掉而只剩下无机物。也有广告宣称在此高温下，盐的分子结构发生了转化，生成了"高能量"的食物，具有"抗氧化"、"清除自由基"的功能。如果是真的，这大概是对于经典化学理论的改写。韩国科学家的研究则比较"传统"，指出经过炼制的竹盐可能含有了一些其他的矿物质，而这些矿物质可能会导致一些特别的功效。他们测量了纯食盐、粗盐和竹盐的成分，发现竹盐中锰、钙、锌、铁、硫等成分的含量比纯食盐或者粗盐中的要高。这也很符合化学中的物质平衡——竹子和黄土中含有比较多的这些成分，经过烘烤最后进入了食盐中。换句话说，竹盐其实是另一种形式的"粗盐"。如果这些成分的差别是竹盐的所谓"神效"(如果它存在的话)的原因，那么完全用不着那么费劲地去用竹子、黄土和松枝反复烘烤，人们可以很轻易地混合出任何需要的组成来。

宣传竹盐神效的广告喜欢说在高温下这些物质相互反应，生成了新的"神奇"的物质。按照化学理论，在烘烤这样的反应条件下，矿物质的种类不会发生变化。即使重新固化以后以不同的形式结合，在人体内也会重新离解成单个离子，跟未经高温烘烤的混合物没有差别。

所以，竹盐广告中所宣称的那些"竹盐减肥"的理论依据，既不符合现代科学的基本理论，也没有经过任何现代科学方法的验证。它的神奇，只能依靠对于"传统"和"经验"的信念来支持——也就是说，如果相信现代科学，那么它是靠不住的；如果相信存在着与现在科学不同的"科学体系"，那么它的任何结论我们都无法评价。

别迷信竹盐，能减肥只是传说⋯⋯

如果只是把竹盐外用的话，还不至于有什么危害——最多也就是花一些冤枉钱而已。但是，在许多"竹盐减肥"的"秘诀"里，是每天早上喝一杯"竹盐水"。而韩国科学家的论文告诉我们，竹盐的主要成分还是盐——现代科学公认摄入过多的盐会增加患高血压的风险。一般认为，人体每天的食盐摄入量不应该超过 6 克——在大多数人的正常饮食中，往往已经超过了这个量。而一杯"竹盐水"，又额外地增加了几克食盐？

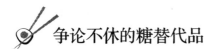
争论不休的糖替代品

　　甜味是人体能够感知而且喜爱的味道之一，为人类带来甜味的最经典、最常用的物质是蔗糖。但是，蔗糖或者其他的天然糖类，比如葡萄糖、果糖等等，同时也是一种高能食品。现代人为了健康，极力减少糖的摄入量。对于糖尿病或者低血糖症患者来说，糖无异于毒药。为了避免这些弊端又能享用美味，人类的目光瞄向了糖替代品。

　　所谓糖替代品，是指蔗糖或者糖浆之外能够产生甜味的物质。自然界有很多物质能够产生甜味，但是一方面这些物质的获取并不容易，另一方面它们自身也可能是高能食品，所以，天然的糖替代品的应用并不广泛。而一些人工合成的化学产品，甜度是蔗糖的几百倍，只要很少的用量就能提供人们所需要的甜度。这些物质也经常被叫做"甜味剂"。

　　甜味剂的好处是显而易见的。首先，它们不参与糖的代谢过程，也就不会引发与糖有关的疾病如糖尿病的危险。其次，它们只需要蔗糖用量的几百分之一就可以获得相同的甜度，不产生热量或者产生的热量完全可以忽略，这对于要控制体重的人来说无疑是一大福音。当然，还有价格，甜味剂的使用大大降低了食品的制作成本。

　　就像任何食品添加剂一样，每一种糖替代品，从诞生的那一天起就伴随着是否安全的争论。对于食用的东西，人们除了要求它有好处，还要求它无害。不同的糖替代品是完全不同的东西，不能够一概而论。任何研究和评价，都只能针对一个具体的品种。下面介绍一下使用最广泛的三种糖替代品。

糖精（saccharin）是最早被使用的甜味剂，早在1879年被合成。糖精的甜度是蔗糖的300～500倍，回味时有一点儿苦味。关于糖精是否有害的争论从20世纪初就开始了，FDA的第一任主席Harvey Wiley是认为糖精有害的代表人物，而老罗斯福总统则坚持糖精无害。这种争论一直持续了几十年，直到最近也不能说有了定论。1977年，一项研究表明老鼠大量食用糖精会导致膀胱癌的发生，随后，不同的研究也表明糖精可能是一种导致动物罹患癌症的物质。基于这些动物实验，加拿大在1977年禁止了糖精的使用，而美国的FDA也有同样的打算。但是，糖精是当时唯一的合成甜味剂，这一打算遭到了公众尤其是糖尿病病人的强烈反对。迫于公众的压力，国会没有批准这项提案，只要求所有含糖精食品注明糖精有可能是一种致癌物。此后，关于糖精与癌症的关系，人们进行了大量、进一步的研究。颇有戏剧性的是，没有严格可靠的研究表明糖精与人类罹患癌症有关系。同时人们搞清楚了糖精导致动物罹患癌症的作用机理，而那一机理在人体中并不存在。基于这样的结果，美国环境卫生科学研究院在2000年建议把糖精从"已知或者疑似致癌物"的名单中去掉。其实早在1991年，FDA就撤回了1977年提出的那份禁止糖精的提案。2001年，克林顿签署法令，撤销了含糖精食品必须标明可能致癌的要求。目前，许多国家允许使用糖精但是有用量的限制，而有的国家干脆禁止。

阿斯巴甜（Aspartame）是另一种广泛使用的甜味剂，在1965年被发现。它的甜度是蔗糖的160～200倍，目前已经运用在几千种食品饮料中。可口可乐公司的无糖可乐，最常用的甜味剂就是阿斯巴甜。关于阿斯巴甜的安全性争论也非常激烈。最初的检测认为它跟脑肿瘤有关，这也使得FDA迟迟没有批准它作为食品添加剂使用。1980年，FDA召集了一个由独立人士（即与任何机构没有利益关系）组成的公众调查委员会，对阿斯巴甜和肿瘤的关系进行调查，没有发现二者相关，但是这个委员会基于有些动物实验的结果不能得到解释，建议不批准阿斯巴甜的使用。1981 年，新上任的 FDA 主席基于一项日本的研究，批准了阿斯巴甜在某些食品中的使用。在随后的几年内，FDA 又逐渐批准了阿斯巴甜在其他一些食物中的使用。1994 年欧洲全面批准它的使用，1996 年 FDA 取消了对阿斯巴甜的限制，允许它在任何食品中使用。2002 年欧盟的科学委员会审查了后来的关于阿斯巴甜安全性的研究，再次确认批准使用。联合国粮农组织和世界卫生组织的联合专家组也批准了阿斯巴甜的使用。目前，世界上批准使用的国家大约有九十个。尽管如此，目前对于阿斯巴甜的批评依然很多，也一直有研究指出其可能的健康危害。最早批准阿斯巴甜的 FDA 主席与甜味剂行业关系密切，更是饱受质疑。

Sucralose 由蔗糖转化而来，蔗糖中有三个羟基被氯原子取代了，人们把它叫做"三氯蔗糖"或者"蔗糖素"，其甜度是蔗糖的 600 倍。最早在市场上出现的产品名称叫做 Splenda。它的安全性怀疑来源于其中含有的氯，因为许多含有氯的有机物是有毒的。不过，Sucralose 并不因为含氯而有毒，它在人体内也不会分解出氯来。在被发现十五年之后，它以 Splenda 的产品名称在加拿大被批准使用。之后，澳大利亚、新西兰、美国、欧盟等也陆续批准了它的使用。目前，批准使用的国家大约有八十个，中国是其中之一。加拿大糖尿病协会认为，每公斤体重每天食用 15 毫克 Sucralose 不会有任何副作用，这个量相当于一个 70 公斤的人每天吃 75 包 splenda 的甜味剂，相当于 630 克蔗糖，已经远远超出人们对于糖的需求。FDA 综合审查了一百一十项针对人或者动物的研究，这些研究的目的是找出 Sucralose 对于致癌、生殖以及神经方面的影响，结果没有发现负面影响，所以 FDA 认为 Sucralose 对人体无害。在 Sucralose 被批准使用之后，也有一些动物研究用远远高于上述用量的 Sucralose 喂养老鼠，观察到了一些不良后果，如 DNA 损伤、乳腺减小等。不过，由于人体食用量远远低于动物研究所用浓度，这些研究不被认为有指导意义。现在 Sucralose 的应用非常广泛，被几千种食物饮料所使用。

可能会有很多人很失望，因为大多数人都希望有一个权威跳出来明确地说"能吃"还是"不能吃"。科学与江湖巫术的区别就在于，科学的结论不是依靠权威或者信念来支撑的，而是依靠科学实验对于事物本质的认识。政治上的权威，如老罗斯福总统，专业上的权威，如 Harvey Wiley（他本身是位化学家，也是食品与药物安全管理上里程碑式的人物），他们的意见在科学实验的面前都不再强大。科学是指导人们接近事物本质的方法。对于食品来说，科学实验的设计并不是一件容易的事情。而科学实验的结果，只能告诉我们检测了什么，发现了什么。大多数食物，本来就有着有益的方面，也有着有害的方面或者未知的风险。很多"天然"的、我们吃了几千年的食物，也面临着同样的问题。科学研究，只是把这些方面尽可能地显现出来，供人们比较和选择。而监管机构的责任，是审查科学界所做的汗牛充栋的研究，把那些普通公众难以正确理解的研究结果不带倾向性地总结出来，推荐给大众。他们的权威性如何，并不取决于强权、利益以及民族情结之类，而是基于对科学研究进展的把握以及工作时的客观独立性。

具体到糖替代品，它们为人类带来的好处是明确而显而易见的。同时，对于他们所伴随的"安全隐患"，科学研究和监管机构的结论是"没有发现"。对有的人来说，做了那么多的研究检测还没有发现，就是"没有"了。而对于有的人来说，"没有发现"意味着"可能有，只是没有找到而已"，类似于"莫须有"。到底该如何选择，取决于每一个人的思维方式和价值选择。有一种糖替代品导致肥胖的说法是这样的——因为无糖，觉得不用担心就大量食用，而吃进去的别的食物太多，到头来还是导致了肥胖。

扎进冰激凌的内部去看看

人类用冰来"镇"食物的尝试从公元前就开始了，世界各地也早就有了萌芽状态的冰激凌。不过，真正意义上的冰激凌直到18世纪才出现。在英语里，"冰激凌"是由"冰（ice）"和"奶油（cream）"两个词组成的。最早的冰激凌确实就是冰镇的奶油，里面也可能有一些糖或者水果。经过了两三百年的发展，现在的冰激凌早已变得越来越复杂，越来越多样了。不过，对于冰激凌为什么成为冰激凌，则直到最近几十年才有了比较深入的认识。现在，让我们一头扎进冰激凌的内部，看看那里是一个什么样的世界吧。

冰激凌内部什么样

走进冰激凌的世界，首先看到的是四处飘散的气泡，就像一个个气球，占据了一半以上的空间。这些气泡大小不一，大的能到100微米，小的也有一二十微米。在气泡之间，充斥着连续的固体成分。其中最引人注目的是一个个晶莹剔透的冰粒，这些冰粒差不多能占到固体成分的一半。它们的大小和气泡差不多，支撑着气泡互相远离，比较均匀地分散在整个空间里。

剩下的就是很黏的半固体状的介质了，它们填充了气泡和冰粒之间的所有空隙。挑一点儿尝尝：甜甜的，还有其他的香味，看来冰激凌的味道就来自于这些半固体状的东西了。没错，它们主要是糖、高

116

分子聚合物和蛋白质等，我们喜欢的香草、草莓等香精也在其中。

如果我们看得仔细一点儿，还可以看到这些介质之中有许多小球。它们一个接一个地挤在一起，接壤的地方互相融合了，但是其他地方还保持着自己的独立性，就像糖葫芦。不过在某个小球上，可能又连出一串，到某个地方可能又和别的串接上了。这样，这些小球就串成了一个巨大的网络。这个网络，比冰粒更加有效地支撑起了气泡，也使得半固体状的介质难以自由迁徙，从而使整个冰激凌的世界安定下来。

冰激凌如何形成

上面这种神奇的结构是如何形成的呢？我们先来看看冰激凌的制作过程，再来分析为什么会形成这样的结构。

冰激凌的原料里最重要的是奶油，美国对于冰激凌的规定是至少含有 10% 以上的奶油脂肪，好的冰激凌可能高达 16%，还要有 10% 来自牛奶的非脂肪成分，主要是蛋白质和乳糖。其他的主要成分还有 10% 左右的糖和 5% 左右的糖浆，最后会成为冰激凌中的半固体介质，产生细腻的质感。通常还会有少量的乳化剂来改善脂肪颗粒以及最后的质感。

制作冰激凌的第一步是把这些所有的原料混合在一起，加热灭菌，通俗地说，即把这些原料煮熟。然后，把它们进行高压均质化处理——奶油中的颗粒很大，高压均质化的目的是把这些颗粒"打碎"。经过这一步，脂肪颗粒的大小从几微米减小到了零点几微米，相应的脂肪和水的界面增加了十倍左右。因为蛋白质喜欢待在脂肪和水的界面上，这样，脂肪和蛋白质的存在状态都更加均匀，有利于产生细腻的质感。

经过均质化的原料实质上是一种很黏的乳液。下一步是放在冰箱中降温几个小时，在这几个小时里也给了其中的各种成分交流感情的机会。比如说，乳化剂比蛋白质更加喜欢脂肪和水的界面。或许是蛋白质发扬风格，让出了一部分界面；也或许是乳化剂巧取豪夺，把一部分蛋白质赶出了界面。总之，在冰箱里休息了几个小时的原料混合状态已经悄悄发生了变化，脂肪颗粒的表面悄无声息地被乳化剂占领了许多。

下一步就是制作冰激凌了。在冰箱里休息够了的原料混合物被加入一些香精、色素等，然后被送入冰激凌机。冰激凌机的核心部件是一个温度很低的表面，通常温度在零下二三十摄氏度，原料混合物被慢慢地搅拌着，表面上的原料很快被冻上了，然后被搅到中间。就这样，不停地有原料被搅到界面上又被搅走，整个体系的温度逐渐降低，也变得越来越硬。同时，大量的空气被搅进去，被蛋白质、乳化剂以及形成的脂肪网络和冰粒固定下来。这样，冰激凌就做成了。商业生产的冰激凌还要放在低温下进一步硬化，然后再分销。

冰粒是好是坏

冰激凌的首字是"冰"字，冰当然在其中起到了重要作用。如前所述，冰粒可以起到稳定冰激凌体系的作用，但是太大的冰粒又会影响口感。有科学家做出了含有冰粒大小不同的冰激凌，请很多人来品尝，发现如果冰粒大到几十微米，就能被很多人感觉到。大家也就觉得这冰激凌不好吃了。所以，控制冰粒的大小也就成了冰激凌生产的一个重要问题。

从冰激凌的原料组成来说，提高固体成分的含量，不管是脂肪、蛋白质，还是糖、糖浆，都有助于降低冰粒的大小。这也很容易理解，固体成分多了水就少了，自然就不利于形成大的冰粒。不过，固体含量的增加不可避免地要增加成本，也更容易让人发胖，所以用这种方式提高冰激凌的质量对于生产厂家没有什么吸引力。

科学家们的兴趣在于不改变原料组成的前提下减小冰粒的大小。经过大量的实验，他们发现冰粒的最终大小主要取决于生产过程中产生的冰核的多少。如果冰核多，那么最后的冰粒就多而小；反之，如果冰核少，最后的冰粒就少而大。而产生多少冰核，主要取决于冰激凌机里的温度和搅拌方式。对于某个特定的冰激凌配方来说，会有一个特定温度最容易产生冰核。而搅拌器的设计和操作也会影响冰核的形成。比如说，增加搅拌桨的叶片数和搅拌速度都能增加冰核的数目，但是叶片数太多和搅拌速度太高又会导致摩擦产生的热量增加，不利于降温。在冰激凌的发展历史中，绝大多数时候人们只能通过反复的实践和经验来摸索最佳的条件。只有在近几十年中人们对于冰激凌的认识逐渐深入之后，才能有的放矢地设计实验，从而使得寻找最佳工具和操作条件的工作事半功倍。

脂肪颗粒的锤炼

在冰激凌中脂肪颗粒的变化非常特别。脂肪颗粒在水中被称为乳液，对于绝大多数的乳液产品来说，都希望脂肪颗粒稳定存在。比如说牛奶，要是很快分层，甚至有油析出了肯定会被大家骂为劣质产品。再比如咖啡伴侣，要是加到咖啡里就出现了一层油也肯定卖不出去。这些分层和油析出的现象，都是乳液不稳定的结果。但是，在冰激凌中，却是要人为地让乳液失去稳定性。

如前所述，我们希望脂肪颗粒变小以产生细腻的质感。脂肪颗粒变小的时候，产生了大量的新的表面。蛋白质和乳化剂都会去占据这些表面。蛋白质个头儿大，力量足，到了脂肪表面还能互相联手，所以产生的脂肪颗粒非常稳定。而乳化剂是小分子，灵活机动，每个犄角旮旯都能去，所以降低表面张力的能力很强，占据地盘的能力也很强。不过，他们的力量比较弱小，对于外来冲击的抵抗力比较弱，所以他们产生的脂肪颗粒不稳定。

　　冰激凌里的脂肪颗粒如果很稳定的话，就会各自为政，互不理睬，很难形成前面所说的网络结构。经过均质化的原料混合物在冰箱里休息的时候，大量的乳化剂小分子占据了脂肪表面，强大的蛋白质被挤走了，脂肪分子自我保护的能力就大大降低了。当这些脂肪颗粒进入冰激凌机被搅拌的时候，脂肪颗粒们难免磕磕碰碰。外力实在太大，两个颗粒碰到一起的部分严重变形乃至界面消失，从而融合在了一起。但是由于温度降低，脂肪同时固化，所以两个碰撞的颗粒只是部分融合。一个又一个的碰撞以及部分融合的发生，就产生了最后那种互相连接的糖葫芦结构。

结语

　　不难看出，冰激凌的特有结构是均质化、冰箱储存然后降温搅拌形成的。如果冰激凌已经融化了，那么首先冰粒就化成了水，而那些部分融合的脂肪颗粒也融合成了大颗粒，整个体系恢复到了均质化之前的状态，如果仅仅放回冰箱，是无法恢复冰激凌的结构的。

　　最初的冰激凌是家庭小作坊生产的，但是那时的冰激凌无法跟现代工业的产品相比。尽管我们仍然可以在厨房里模拟冰激凌的整个生产过程，但是由于均质化和降温搅拌装置的简陋，基本上无法做出商品冰激凌的质感来。

The Truth of Food

第三章 若为安全故

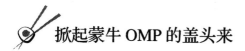 掀起蒙牛 OMP 的盖头来

国家质检总局叫停蒙牛 OMP 的通告让中国乳业再起波澜。短短几天之后，卫生部等部委又发布通告说 OMP 不会危害健康，只是蒙牛"擅自夸大宣传产品功能"，而蒙牛则宣称有证据表明 OMP 的功效。那么，OMP 到底是什么东西？它的安全性是否得到了广泛验证？它的功效又有多少科学数据支持？本文顺着蒙牛 OMP 的发展历史，进行了一番"探秘"。

OMP 是不是 IGF-1

几年前，蒙牛高调宣称自主研发了一种"造骨牛奶蛋白"，并按照其英文"Osteoblasts Milk Protein"缩写为 OMP。迄今为止，国际学术研究中没有人使用过这个名称，蒙牛也宣称这只是他们自己的商品名称。蒙牛申请了国家专利，其研究人员发表了学术论文，宣称是具有"自主知识产权"的发明。在媒体宣传中，OMP 的研发也被当做了"民族产业自主创新"的范例。在学术论文和专利文件中，他们公布了 OMP 的氨基酸、分子量以及其他一些生化性质，甚至在某些地方提到了 OMP 的主要成分是生长因子。随后，蒙牛推出特仑苏 OMP 牛奶，宣称具有造骨功能，短期内占领了"高端"牛奶市场，风光无限。

2007 年，科普作家方舟子及新语丝网站开始质疑特仑苏牛奶。依据蒙牛技术人员发表的 OMP 论文以及蒙牛专利，方舟子认为 OMP 就是

IGF-1。IGF-1 叫做类胰岛素生长因子,是一种多肽类激素,受人体自身调控合成,并不需要从食物中获取。它的生理功能是促进细胞分裂,抑制细胞凋亡。普通牛奶中的 IGF-1 浓度极低,在十亿分之一的数量级,分离纯化的成本很高。按蒙牛的宣称,特仑苏中的 OMP 含量在万分之一的数量级,这个浓度需要大量的 IGF-1,生产成本极高。另一方面,根据 IGF-1 的生理作用,这么大的量被摄入体内,会有导致癌症的风险。所以,方舟子认为,蒙牛要么是在欺骗,要么是在往牛奶里加致癌物。

然而,蒙牛从未承认 OMP 就是 IGF-1,所以方舟子的指控也就像是铁拳打棉花。这次,国家质检总局没有就 OMP 是不是 IGF-1 进行评判,而是根据现行国家标准,指出不管是 OMP 还是 IGF-1,都不在许可添加的范围之内,因而具有潜在的危险,必须禁止添加。

为了摆脱国家质检总局的指控,蒙牛公开了 OMP 的秘密——宣称不是当初"自主研发"的产品,而是从新西兰进口的牛奶碱性蛋白,简称 MBP。按照这一公告,蒙牛的特仑苏"高端牛奶"就与此前热炒的"OMP 专利"完全无关,而变成从国外进口一种名叫 MBP 的商品,改称为 OMP 之后加到特仑苏中。

蒙牛的这一说明解决了 IGF-1 的致癌指控,后来提交卫生部审核的也是由 MBP 改名而来的 OMP。

MBP 被 FDA 认证安全了吗

牛奶中有很多种蛋白质,含量最丰富的是酪蛋白和乳清蛋白,以及牛血清白蛋白和其他一些含量很低的蛋白质。日本有个叫做雪印(Snow Brand)的牛奶公司,把脱脂牛奶(或者生产奶酪的副产物乳清溶液)中的酸性蛋白去掉,得到了牛奶碱性蛋白,简称 MBP。因为前面提到的牛奶中的主要蛋白质都是酸性的,所以牛奶碱性蛋白实际上只是牛奶蛋白中的一些微量成分，比如乳铁蛋白、乳过氧化物酶以及一些碳水化合物。它本身不是一种单一蛋白质，所以也就不像蒙牛的专利和论文中的产品那样具有某个确定的氨基酸数目和分子量。

雪印公司生产的 MBP 实际上只经过了一步分离，MBP 本身还是混合物，其组成很大程度上取决于分离的操作条件。目前发表的关于 MBP 的研究结果都是基于雪印公司的研究，严格说来，其他公司（比如新西兰的公司）生产的 MBP 的组成不会与雪印公司的完全相同，雪印 MBP 的检测结果并不能保证适用于其他公司的情况。

MBP 在美国并没有得到所谓的"认同"。雪印公司委托一家美国公司在 2006 年 3 月申请 FDA 认可 MBP 的安全性。FDA 的文件中称其为 BMBPF，其中第一个"B"指明是牛的奶，最后一个"F"指明是分离组分而不是单一蛋白。这家公司提交了生产流程、产品详细组成报告、需要认证的食品以及 MBP 含量，要求认可他们自己做出的"这些产品是 GRAS"的结论。GRAS 是"generally recognized as safe"的缩写，意为"一般认为安全"。FDA 审查了他们提交的数据，结合其他来源的资料，在六个月之后做出答复：FDA 对于雪印公司在其产品中所使用的 BMBPF 的 GRAS 结论不作质疑。但是那份文件同时明确指出：FDA 对于 BMBPF 是否符合 GRAS 尚未作出自己的决定。直到 2009 年 2 月，FDA 依旧保持这一答复，而没有进一步的决定。也就是说，FDA 对于 MBP 的安全性的认可，仅仅限于"雪印公司的 BMBPF"在"所提交申请的产品"之中。对于别的公司生产的 MBP，并不能引用这份答复来认为 FDA 认可其安全性。

换句话说，FDA 并没有"认证"MBP 的安全性。

MBP，只是比水更有效

另一方面，日本、新西兰认可 MBP 的安全性。从我国卫生部等若干部委在短短两三天内作出蒙牛 OMP 没有健康风险的"快速反应"推测，这些部门应该只是"采信"了新西兰方面出具的安全许可。就卫生部的职权范围来说，他们确实有权做出这样的裁定。

不过，特仑苏牛奶是因为其"造骨"功能而成为"高端产品"的。消费者付出比普通牛奶高一倍的价格购买特仑苏，自然不会只是满足于"喝了不会致癌"。卫生部的通告同时也指出蒙牛"擅自夸大宣传产品功能"，而蒙牛的回应则是他们的宣传有"科学研究结果支持"。那么，MBP 的"造骨功能"到底有什么样的"科学研究结果"来支持？

在生物医学领域的权威数据库 PubMed 里查找 MBP 对骨质的影响，能得到二三十条记录，而且这些文章基本上都是出自雪印公司或者与他们有关的研究机构。这样范围的研究，基本上没有说服力。通常要得到一种物质有益健康的结论，需要许多研究机构从不同角度进行的大量研究的论文。举个例子来说，益生菌的研究，有许多不同研究机构发表研究结果，总数超过三千项。这些研究中没有发现副作用，有益作用倒是非常普遍。但是，学术界也没有达成某种益生菌能够防病治病的共识，权威主管机构也没有"认可"益生菌的功效。拿着同一机构发表的几十篇论文，来作为"世界各国普遍认可"的证据，是忽悠普通公众的行为。

如果进一步分析这些论文，会发现论文的质量并不高。首先，所谓的"临床实验"，只有三十几个样本，实验组和对照组各十几个人。这在食品领域的临床实验中基本不会被认为具有代表性。另外，实验设计本身也不明晰。它的实验通常是这么做的：三十几个人分成两组，实验组喝含有 MBP 的饮料，对照组喝不含 MBP 的饮料。一段时间之后，检查两组人的骨头某项指标，结果是实验组的指标在统计学意义上稍高于对照组。这样的结果说明的是，MBP 对于骨头的作用好于对照——而对照是什么呢，论文里并没有明确说明，依学界习惯，猜测应该就是水。MBP 是牛奶成分，牛奶成分本身对于人体骨质就有一定作用。所以，这个实验证明的是：MBP 这种蛋白质产品，对健康的好处比水要大——这跟废话没有什么区别。

对于特仑苏来说，需要证明的是它比普通牛奶有利于成骨。所以，在上述的实验中，对照组喝的应该是普通牛奶，实验组喝的是特仑苏，并且在大样本的随机双盲实验中依然能够得出结论，证明喝特仑苏的人平均骨指标优于喝普通牛奶的人，实验结果才有意义。而且，严格说来，这样的实验还应该由独立研究机构进行才具有说服力。

事实上，单独讨论 MBP 是否对骨质有积极作用并没有太大意义。牛奶中的各种蛋白、钙、维生素 D，对于骨质都有积极作用。如果把 MBP 换成这些东西，也能证明对健康无害，而且对于骨质的影响比MBP 要可靠得多。人们喜欢引用的 FDA，根本不会认可类似的功效。雪印公司向 FDA 提出的认证申请，甚至完全没有提有关"功效"的事情，因为雪印的美国代理人非常清楚，FDA 不会理会这一类的申请。

牛奶中含有很多种成分，其中的某些成分对于人体健康可能有特别的作用。在目前的食品科学研究中，确实有许多研究在寻找这样的"活性成分"，也有了一些初步的发现。MBP 作为可能的一种，目前所发表的研究结果实在是太过"初步"。根据这些初步的研究来宣称它具有这样那样的功效，"擅自夸大宣传产品功能"都算是比较客气的说法了。

合成香料的安全性
＞
天然香料

OMP 与耍赖

国家质检总局通告蒙牛不得添加所谓的"造骨生长因子"OMP，原因是"目前我国未对 OMP 的安全性做出明确规定"。经常有人问：它本来就是牛奶中的成分，即使没有用，也不会有害吧？蒙牛也摆出一副很委屈的样子辩解："国家质检总局没有出具 OMP 有害的证据。"来自于"天然"、"无害"的食品中的成分，为什么会带来安全性的疑虑，为什么国家质检总局在"没有证据"的情况下就决定禁止添加呢？

自然界的动植物中含有各种各样的成分。这些成分有的对人体有害，有的对人体有益。人类经过千万年的实践，找出了一些"安全"的种类来作为食物。这样的"安全"，只是说在通常的食用量下，没有发现它们对人体有明显的危害。这个意义上的"安全"，一方面是由于正常饮食中有害成分的摄入量不大，人体的正常生理功能能够化解其危害；另一方面，很多危害是慢性或者隐性的，靠人们的感觉是发现不了的。一个典型的例子是草酸，许多人都知道菠菜中含有大量的草酸，其实萝卜、生菜、红薯、芹菜等蔬菜中也含有大量草酸。草酸被人体吸收后可能与肾脏里的钙结合，沉积下来形成肾结石。对于肾功能有障碍的人来说，医生会要求他们避免食用含草酸的食物，这些蔬菜就不应该吃了。但是对于健康人来说，这些蔬菜中的草酸能够被代谢掉，这些蔬菜仍然是"安全"、"健康"的。

食物中含有许多有益人体健康的成分。许多人觉得如果把那些成分提取出来，就可以成为"食物精华"了。这也是许多"保健品"、"膳食补充剂"大行其道的原因。蒙牛的OMP，也是出于这样的一种思路。不过，任何食物成分都不"当然地保证"有效和安全。当我们把某些食物成分提取出来，它的有益影响可能会加强，坏的影响也可能加强。比如说，姜是人们吃了几千年的食物，一些公开发表的临床研究证实：吃一些姜的制品，比如姜水、姜粉、姜提取物、含姜饼干等，能够减轻妇女早孕期的反应。而且，在实验中也没有发现副作用。那么，是不是就可以大量服用姜提取物来防治孕妇的恶心呕吐呢？这不能想当然，也不能拿人来做实验。有科学家折腾老鼠，发现大量喂食姜水的怀孕老鼠，胎儿发育会受到影响，甚至流产。也就是说，食用正常量的姜是安全的，但是食用大量的姜提取物就很难说了。所以，科学家给的建议就是：对于轻度到中度恶心呕吐的怀孕妇女，可以每天吃相当于1克干姜的姜制品。如果有效，固然是好；如果无效，也不至于有害。如果吃得更多，就有潜在的危险了。这样的例子还有很多，比如蒜，有一些研究表明蒜能够在一定程度上降低总胆固醇和低密度脂蛋白胆固醇(就是通常说的"坏胆固醇")的含量。但是如果大量摄入，也可能导致出血、止血困难以及血糖降低等症状。对于临产孕妇以及手术病人，吃大量的蒜或者蒜提取物是比较危险的。

从可食用的天然动植物中寻找有益人体健康的营养成分，是目前的食品、医药和生物研究中很热门的领域。要证明一种成分是否有效相对容易，要证明其无害则比较困难。任何证明无害的研究，都只能证明"在某种条件下"，"某项被怀疑的危害"不存在，或者不明显。因此，这样的研究只能"排除"可能的危害，而不能证明一种东西是否"安全"。要判定一种东西"绝对安全"，在逻辑上是不可能的。主管部门的责任，是把所有此类的研究汇总起来，看看做过的检测是否可靠，"排除"的潜在危险是否足够多，然后作出在法律上是否"安全”的规定。我们经常看到同一种东西，在有的国家认为是“安全”的，在有的国家就不行。这并不是各国所依据的科学数据不同，而是各国对于什么样的科学数据才可以拿来作为认定这种东西是“安全”的有不同的理解。

蒙牛认为自己的实验证明 OMP 是安全的，而国家质检总局没有“科学依据”来认为它是有害的。这是一种耍赖的说法。国际食品行业通行的原则是，从食物中提取出来的成分如果用量超过了常规食品中的含量，也要当做新产品，而任何新产品都要向主管部门申请认证。在主管部门的认证结果出来之前，使用就是非法的。所以，即便是最后OMP 被证明无害，国家质检总局现在“叫停”的决定也是完全正确的。蒙牛过去的生产也是违法的，应该进一步被追究法律责任。这不是学术层面的“百家争鸣”，而是生产是否合法的问题。对于主管部门的认证来说，蒙牛自己提供的检测数据是最弱的证据。独立研究机构在学术刊物上公开发表的文献才具有更高的可靠性。主管部门用不着拿出“有害的证据”来否决蒙牛的申请，只要认为提交的证据不够全面，或者有其他来源的安全性疑虑，就可以把它打入“冷宫”。

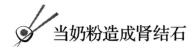 **当奶粉造成肾结石**

三鹿奶粉导致大量婴儿患上肾结石这一事件的发生，对于饱受质疑的中国奶粉行业无异于雪上加霜。不仅仅是三鹿牌，其他牌子的奶粉，甚至其他奶制品，都有可能一蹶不振。那么，导致肾结石的原因，是否与婴儿奶粉有本质上的关联？中国的奶制品行业，路在何方？

三聚氰胺，为什么进入奶粉

这次奶粉事件的罪魁祸首——三聚氰胺，既不是婴儿所需的那几十种营养成分，也不是生产过程中所需的助剂，为什么会出现在奶粉中呢？

在牛奶或者奶粉的生产中，产品质量的检测控制并不是一件很容易的事情。一种产品，通常有几十个参数可以检测，而实际生产中许多厂家都只检测控制其中重要的几项。而食品工业上的多数检测，都是基于正常的产品组成，如果要捣鬼总有空子可钻。对牛奶类的产品来说，蛋白质含量是最重要的指标。但是，直接检测蛋白质并不容易，行业通用的"凯式定氮法"是一种间接的方法。它利用化学催化把蛋白质中的氮元素释放出来，转化成容易定量检测的物质，通过检测这些物质的量来计算总的含氮量。因为每种蛋白质的含氮量基本恒定，比如牛奶蛋白的含氮量是 1/6.38，大豆蛋白是 1/6.25，于是测出了含氮量也就可以算出蛋白质含量。不难想象，只要加入含氮量高的物质，就可以骗过检测方法而获得"高蛋白含量"的检测结果。

三聚氰胺正是这么一种东西。它的分子由三个碳原子、六个氢原子和六个氮原子组成，氮含量高达 2/3！在牛奶中加入这种东西，即使氮原子不能像蛋白质中的那样被完全释放出来，也可以大大提高检测得到的含氮量，从而骗取虚假的"蛋白质含量"检测结果。

历史上对于三聚氰胺的毒性检测并不完善，其结果显示为微弱毒性。作为化工原料，它没有什么机会大量进入人体，也就没有引起太大的重视。其实，即使完全无毒，这种行为也不仅仅是卖个好价钱那么简单。婴儿奶粉的成分是需要精确控制的，哪怕是冲奶粉的用水量，也应该比较准确地控制。这种虚假的蛋白质含量，实际上是降低了真蛋白质的含量，从而改变了奶粉的成分配比。这对于满足婴儿的营养需求来说，也是很严重的问题。

更糟糕的是，2007 年美国的一些宠物因为吃了中国饲料而死亡，罪魁祸首也是三聚氰胺。这就说明人们对于这种物质毒性的认识可能是不足的，而且其进入饲料的原因在任何蛋白质产品中都成立。可惜，或许是因为毒死的只是外国人的宠物，这种弄虚作假的行为没有引起管理部门实质上的重视，终于导致了今天的悲剧。

中国奶制品行业，路在何方

三鹿奶粉事件仍在调查之中。*无论结果如何，这个品牌都很难翻身了——就算真是"少数不法奶农掺假"，三鹿也难辞其咎——保证原料的可靠本来就是他们的责任，失去消费者的信任也是他们必须付出的代价。但是，它的倒掉并不意味着问题的解决。一次又一次出问题的奶制品行业，究竟路在何方？

一方面，奶中加入了三聚氰胺，跟奶本身并没有关系。就像有不良商贩在面粉中加了滑石粉，并不意味着面粉本身就不能吃了。奶产品，依然是很好的食品。问题在于，我们如何保证自己买的东西没有掺假？像奶制品这类食品，消费者基本上只能就口感、味道作出选择，而无法辨别安全以及成分上的差异。我们是选择不吃，还是相信主管部门的检测？或是相信厂家的信誉？其实这也是国外大品牌贵的原因之一，不一定是产品质量更好，而是它所代表的可靠性更高。

对于厂家来说，要全面可靠地监测产品质量也是一件很费钱的事情。目前广泛存在的散户养殖、厂家收购的生产方式，无法保证奶源的可靠。虽然说任何一种能想到的指标都可以被检测，但是对于来自大量散户的小批量奶源，一一检测在成本上是难以承受的。

三鹿奶粉事件是因为婴儿对于三聚氰胺的耐受能力弱而曝光的。从奶中混入三聚氰胺的原因和操作来看，其他奶制品被污染的可能性甚至更大，只不过没有出现严重后果，也就没有人去关注。一个三鹿倒下了，无数个三鹿依然鲜活。三聚氰胺成了过街老鼠，但是别的老鼠依然会不断地挑战猫的能力。如果整个行业不集中在少数几个巨头手里，大规模集约化的养殖就难以实现。不达到一定规模的企业，也不会有资金和人力去进行可靠的生产流程及产品质量监控。再加上管理部门的暧昧，类似的事件将会野火烧不尽，春风吹又生。

*本文写于 2008 年 9 月初。

如何看待三聚氰胺的"安全标准"

三聚氰胺的热度稍稍降低，对其"安全标准"的制定又引起了广泛关注。先是某企业宣称他们产品中的三聚氰胺含量低于"科学研究发现的有害剂量"，所以是安全的；接着，有专家解释三聚氰胺安全剂量的计算；最近美国 FDA 针对中国奶制品事件又发表了一个"成人奶制品中的三聚氰胺含量在 2.5ppm 以下不会危害健康"的声明；接着，中国有关部门发布了"成人奶制品中 2.5ppm，婴儿奶粉中 1ppm"的"安全标准"。前段时间还"闻三"色变的公众，被一连串差异颇大的数字弄得晕头转向：三聚氰胺明明导致了许多婴儿患上肾结石，怎么又允许含有了呢？

一般来说，每一种食品都有许多项检测指标。三聚氰胺的"安全标准"只不过是在这些指标之外又加了一项。在讨论如何看待这个"安全标准"之前，我们先来介绍一下食品中的检测标准都是从何而来的。

一大类的指标是以"不低于"某个值为特征的，这类指标是该种食品营养成分的要求。比如说我国的矿泉水，就要求某种矿物质含量高于一个特定值，或者矿物质总量超过 1000ppm；而美国的冰激凌，就要求其中的牛奶脂肪不低于 10%。优质的产品可以高于要求的标准。而有的产品，比如婴儿配方奶粉，对于几十项指标有一个范围不大的要求，高了低了都不合格。可以说，这一类的指标是产品"营养质量"的保证。

　　大家更关心的是安全方面的指标。这一类的指标通常以"不超过"某个值为特征。很多人经常问一个问题：既然知道某个东西有害健康，为什么还允许它存在？为什么不要求把它完全去除？这里面有几种情况：

　　最普遍的情况是某种成分是加工过程中产生的，而这种加工过程非常必要，完全去除这种成分的成本又太高。典型的例子是瓶装水中的溴酸盐。瓶装水的灭菌是必需的，现在应用广泛的臭氧工艺会产生一定的溴酸盐。我们当然可以不用这种工艺，但是用别的工艺也会有别的问题，也会有其他有害成分的残留。所以问题不是我们走不走路，而是走哪条路相对最好。完全去除溴酸盐在技术上不是完全不可能，但是那样生产成本就会大大增加，对于全社会来说也是不利的。可靠的实验研究表明当溴酸盐残留量在每升 10 微克以下时，就算天天喝，喝上几十年得癌症的风险也增加不了万分之一。这样的风险完全可以被忽略，所以这个每升 10 微克，也就被定做了"安全标准"。我们当然也可以认为这样的风险还是太大而制定更严格的标准，或者风险可以再大一些而制定更宽松的标准。标准的宽严会影响生产成本，而生产成本其实不全是生产厂家的事，毕竟羊毛出在羊身上，生产成本归根结底还是要靠消费者来买单的。

　　另一种情况，某种成分的使用不是必需的，但是可以带来很大的好处。如果在某个使用量下伴随的风险很低的话，就可以把那个使用量当做"安全标准"。典型的例子是鸡饲料中的抗生素洛克沙生和猪饲料中的添加剂莱克多巴胺。二者都可以大大降低生产成本，而大剂量的残留确实有害健康。对于这样的东西，安全评估就更为严格，要在大量动物甚至临床实验的基础上，并且考虑到安全系数的问题，来制定安全标准。科学研究的结论是一样的，各国制定不同的标准是基于不同的安全系数。比如说临床试验得出的莱克多巴胺有害剂量是每公斤体重 67 微克，美国使用 50 左右的安全系数，得出猪肉中的允许残留量是 50ppb（ppb 是十亿分之一）；世界卫生组织的安全系数高一些，把 40ppb 作为标准；而联合国粮农组织则更为保守，选定的标准是 10ppb。而我国目前采取"零容忍"，完全禁止。可以说，这种安全标准的制定，是基于主管部门对于科研结果的理解，以及安全风险的承受能力。标准越严，潜在的风险当然就越小，但是相应的社会成本就越高。这也可以在一定程度上解释美国超市里的农产品价格，如果按汇率计算的话绝大多数都远远高于中国的，但是鸡肉和猪肉，却要便宜一些。大多数限量使用的食品添加剂就是这种情况。

还有一种情况，有害成分是食物中天然带有或者加工过程中自然产生的，传统食品中的含量甚至更高。因为人们习惯了"不知道就当做没有"，所以总觉得自己做的食品"更安全"。现代食品会把其中的有害成分测定出来加以控制，也会设定相应的"安全标准"。典型的例子就是亚硝酸盐等成分。

我们再回到三聚氰胺的问题上来。这个东西的加入完全没有必要，带来的好处（获得假的高蛋白含量)是非法的。不管危害是大是小，都是不允许添加的。就像面粉里加滑石粉、重钙粉，大米里加沙子，吃了大概也不会让人得病，但是显然是不能接受的。一个著名的类似的例子是苏丹红。其实苏丹红的致癌等级只是第三类，也就是说，在动物体内能够致癌，但是还没有在人体中致癌的证据。即使是动物中的致癌，有害剂量也比人们在目前的食品中能够接触到的苏丹红含量要高一万倍甚至十万倍以上。但是因为苏丹红并非食品中的必需成分，也不能带来很大的好处，所以世界上几乎所有国家都禁止使用。

FDA 对于三聚氰胺那个 2.5ppm 的说明是这个浓度对于成人没有危害，其次是奶制品生产过程中由于容器或者奶牛饲料等原因可能混入极少量的三聚氰胺。也就是说，他们允许残留一点儿三聚氰胺的原因是类似于上面所说的第三类："自然进入"。任何人为添加的行为都是违法的，尽管这在实际操作中很难界定。但是对于婴儿奶粉，FDA 认为无法对安全性作出评估，所以开始采取了"零容忍"。中国的那个1ppm 的标准是根据成人的标准提高了安全系数而定的。或许对于中国来说，廉价奶粉有很大的需求量，所以主管部门就在安全风险和社会成本之间作了一些妥协。后来不知道 FDA 获得了什么新的证据，又对婴儿奶粉中的三聚氰胺采取了和中国相同的标准。

总而言之，所谓的"安全标准"，只是一个主管部门执法的依据。它的实际意义只是告诉人们符合这个标准的时候，潜在的安全风险比较低，而不是像不少人理解的那样，2.6ppm 有害，而 2.4ppm 就安全。"安全指标"就像及格线，60 分的能通过，59 分的重修，完全不说明得 60 分的就比得 59 分的成绩好到哪里去。

食品添加剂，从三聚氰胺谈起

三鹿奶粉事件让全国人民认识了三聚氰胺这种化工原料，中毒的原因已经明了——奶粉中添加了不该有的成分。于是，"食品添加剂"这个词也随之再次浮上水面，对它的恐慌也再度成为关注的热点。那么，"食品添加剂"到底是"好"还是"坏"呢？

其实，如前文所述，"食品添加剂"是一个非常广泛的概念，包括所有加到食物中起到特定作用的少量成分。我们每天接触的盐、糖、醋等等，也属于食品添加剂。不过，通常人们说起这个词，更多的是指一些不常用尤其是合成的原料。出于对工业产品的抵触，人们对于食品添加剂的疑虑远远多于肯定。

食品加工，尤其是现代社会越来越多的配方食品中，经常遇到各种各样的缺陷。为了克服这些缺陷，就要进行一些特殊处理，或者使用一些添加剂。比如果汁，我们希望它能够存放更长的时间而不分层，就需要加入增稠剂以提高黏度；而咖啡伴侣，我们需要它能够均匀地分散到咖啡中，就需要一些分散剂，某些表面活性剂正好可以实现这种目标；酸奶和冰激凌，我们希望有各种口味，就加入各种香精，而为了获得与口味相对应的色彩，就加入不同的色素，比如黄色配以柠檬味，而红色则伴随着草莓味……正是不同的添加剂和不同的生产条件的组合，才制出了各种各样的食品。否则，酸奶永远是白色而且只有酸味，大概没有那么诱人；冰激凌和蛋糕也不会有那么多的"艺术造型"；而面包，大概也就会和馒头一样单调……可以说，适当的食品添加剂是现代食品中不可或缺的成分。

食品添加剂也并非一定是合成材料，有许多是来源于天然动植物或者细菌。比如增稠剂，通常是从藻类、植物纤维，或者细菌分泌物中提取而来。它们通常是一些多糖，溶解到水中可以大大增加黏度。增稠的液体类食物不容易分层，看起来更均匀，吃起来也往往有更好的口感。许多色素、香精，还有作为乳化剂的卵磷脂也是来自于植物。

一般而言，小分子添加剂，比如乳化剂、防腐剂、酸、碱、消泡剂、糖替代品以及一些香精等更容易通过化学合成得到。还有一些添加剂是通过工业生产的天然产物，比如味精，就是用工业发酵的方法让细菌合成的氨基酸。

多数人会追逐"天然产品"，而反感合成添加剂。从安全性的角度说，天然产物并不意味着安全。动植物的进化是为了适应环境，而成为人类的食物显然无助于它们获得生存优势。无论是天然的还是合成的，都只有经过严格可靠的检验才能证实安全与否。与合成产物相比，天然产物的组成更加复杂，不同批次之间的稳定性也要差一些，所以检验天然产物的安全性甚至更为困难。因为缺乏检验，经常给人一种"天然就是安全"的错觉。"天然提取物"还是"工业合成品"，并不与"安全"还是"有害"等同。

对于添加剂而言，最关键的是前面冠以的"食品"二字。要实现增稠、染色、香味、乳化、消泡等各种食物中需要的功能，有无数的物质可以做到。但是，只有一小部分能够通过检验而被允许用到食品中。首先，实现的功能必须是正当而且有益的，比如可可奶要增稠，是为了避免可可颗粒沉淀并且获得更好的口感，就是正当而合理的；但是往牛奶里加入三聚氰胺只是为了骗取虚假的"高蛋白含量"，不管三聚氰胺有毒无毒都是不正当的。其次，必须是经过检验对人体无害的，比如要往冰激凌里加乳化剂，蛋白质和卵磷脂都可以，但是洗衣粉就不行。这里的"无害"必须是经过科学检测的"无害"，而不是没有经过检验"不知道有没有害"的"无害"。再次，即使是可以作为食品添加剂的物质，也必须是符合"食品等级"生产流程的。盐酸、醋酸、烧碱、纯碱等，都可以作为食品添加剂使用，但是用做工业原料的产品里可能含有其他有害成分，也不能用在食品上。最后，有的添加剂没有使用限制，有的就有用量限制，比如对于广泛使用的乳化剂 SSL，美国就规定使用浓度不得超过 0.15％。

可以这么说，食品添加剂所从事的工作还有无数的物质能够完成。但是，只有一小部分根正苗红、人品好的才能得到主管部门的认可而获得"上岗资格"。对于那些获得了上岗执照的添加剂来说，只要在正当的使用范围内，是不会对人体有害的。当然，也有个别蒙混过关，获得了认证，后来又被发现有其他"劣迹"而除名的。这是科学发展的局限，人们对于世界的认识永远是在不断的进步之中，追求"绝对安全"跟追求"绝对真理"一样，是宗教的范畴而不是科学能够解决的。那些能够完成同样的工作，因为其他方面有劣迹，比如会危害人体健康而被拒之门外的添加剂，就成了不法分子以假乱真的帮凶。三聚氰胺就是这样一种东西，它可以像蛋白质一样在蛋白质含量的常规检测中产生信号。其实在它之外，任何含氮量高的东西，比如尿素、碳铵等化肥也同样可以，只不过以假乱真的能力没有三聚氰胺强罢了。

如果说食品中的主要成分是我们吃饱的保证，那么食品添加剂就是我们吃好的助手。对于食品安全来说，可以认为食品添加剂的使用对人体没有危害。对它们的安全性检验，自然有科学家们去操心。负责任的主管部门会把最可靠的科研结论变成决策和规范。真正危害社会安全的，是那些只记住了"添加"而忽略了"食品"，把非食品添加剂"添加"到食品中的行为。对于这种行为，除非出现这次的婴儿患上肾结石这样的大量不良后果，否则人们是无法作出判断的。问题的解决，只能寄希望于主管部门的负责和商家对于自己信誉的爱护。消费者能做的，只有选择自己信任的商家了。

 ## 聚议厅

安婆婆：

　　我很好奇人们怎么寻找有这些功能的物质，比如什么东西有什么香味，什么东西可以消泡……都是不停地试出来的吗？有没有什么道道？

云无心：

　　换下思路：先找到物质，再发现它能干什么。比如说，人们找到了卵磷脂，发现它乳化性能极好。找到了各种黄原胶，发现它们增稠效果很好。一般来说，什么样的化学结构能干什么也自有一些道道。

惴惴不安苏丹红

中国人对苏丹红的关注来源于红心鸭蛋的非法"增红"。2005 年，苏丹红在英国引起了恐慌，最后扩散到了许多国家。这场恐慌来源于辣椒粉的"染色"。苏丹红的恐慌甚至引起了苏丹政府的不满，认为苏丹红影响了他们的国家声誉，要求改变"苏丹红"这个名字。

苏丹红，到底是什么东西，为什么能让世界如此不安？

苏丹红是什么

苏丹红在自然界中并不存在，它是一种合成的染料，分子中含有萘环、苯环，还有连在一起的两个氮原子（称为偶氮结构）。苏丹红有四种类型，红心鸭蛋中发现的是苏丹红一号。各种类型的苏丹红都不溶于水，溶于油脂、蜡、汽油等溶剂。它在皮革纺织工业上应用广泛，也用于地板等的打蜡。苏丹红能够产生鲜亮的色彩，而且不容易退色。

作为一种化工染料，苏丹红的发明完全没有作为食品添加剂的目的。但是由于它鲜亮的颜色和不易退色的特点，被一些人加到辣椒粉中，从而大大增加了辣椒粉的"卖相"。更有甚者，用苏丹红把其他廉价的粉末染色之后加到辣椒粉中降低成本。

苏丹红有多毒

苏丹红含有偶氮结构，在体内分解代谢后会产生苯胺类等致癌物质。比较多的实验证实大剂量的苏丹红会明显提高动物的肿瘤发生率。不过，对于苏丹红是否会增加人的肿瘤发生率，则还没有实验证据。所以，国际癌症研究机构把苏丹红列为第三类致癌物，意思是会增加动物罹患肿瘤的风险，但是不清楚在人体中是否也会导致癌症。

除了增加癌症发生的风险，还有关于苏丹红导致皮肤过敏和 DNA 损伤的报道。

根据动物实验的结果，可以估算出物质对于人体的有害剂量。按照目前食品中检测到的苏丹红含量，即使每天大量食用那些食物，总摄入量也达不到有害剂量的万分之一。换句话说，大可不必"谈红色变"。

苏丹红为什么会被禁用

目前食品中的苏丹红含量远远低于对于人体的有害剂量。比起吸烟等行为来，食品中的苏丹红可以算得上没什么危害。但是，几乎世界上所有的国家都禁止苏丹红在食品中的使用，原因何在呢？

一种外加成分能否在食品中使用，并不仅仅取决于它的安全风险，还取决于它带来的好处是否不可替代。像苏丹红这样的染料，并不能实质性地提高食品的价值。所以哪怕是一点点的风险，也不被接受。另一方面，致癌物对于人体的影响是累加的。我们每天接触到各种各样的致癌物，不仅在食物中，空气、水中也不乏能增加癌症风险的东西。所有这些东西的共同作用，才是最终影响人体健康的因素。比如说，苏丹红在人体内分解而成的苯胺有致癌作用，而许多蔬菜水果中也天然含有苯胺。我们不可能不吃蔬菜或者水果，也就是说，我们在获取其他营养成分的时候不得不摄取一些致癌物质。为了尽可能降低得病的风险，就有必要在能够避免有害物质的地方都避免，哪怕是那个地方的有害物质单独并不能产生明显危害。而苏丹红就是这么一种完全可以不用的东西，被禁用也就顺理成章了。

面筋蛋白 → 1%的人过敏

筋道

比苏丹红更影响健康的食品添加剂

苏丹红、瘦肉精、三聚氰胺、亚硝酸钠……从一起又一起的食品安全事件中，人们认识了一个又一个的化学名词。"食品添加剂"成为一个流行词汇，许多人谈之色变，对于任何食品添加剂乃至现代食品工业充满了敌意。

从法律的定义来说，"食品添加剂"是一个非常广泛的概念，包括所有加到食物中起到特定作用的少量成分。从这个概念出发，食品添加剂并不是在现代食品中才出现的。人类用了几千年的盐、糖、醋等等，也属于食品添加剂。

实际上，苏丹红只是第三类致癌物。也就是说，大剂量的苏丹红会增加动物罹患癌症的风险，但是在是否会导致人类罹患癌症方面还没有实验证据——当然这事儿不能拿人来做实验，所以一般来说，就用动物实验的结果来推算对人有害的剂量。而让人们产生恐慌的红心鸭蛋和染色辣椒粉，其中的苏丹红含量不到有害剂量的万分之一。

而另一种全世界合法使用的添加剂，大量进入人体会导致高血压。按照目前科学研究的结果，成年人每天的摄入量应该在6克以下。但是，绝大多数人的使用量都超过了这个量。换句话说，它比苏丹红更影响人们的健康。但是，全世界对于它的使用都没有任何法律上的限制。

它是什么呢？

——我们每天离不开的盐！

苏丹红潜在的危害虽然是致癌，但是那个危害发生的可能性实在太小了。而高血压，却实实在在困扰着许多人。更重要的是，这个每天 6 克的食用量，已经大大小于多数人每天正常饮食的摄入量。也就是说，每个人都可能承受着食盐对健康的危害。现在所提倡或者开发的"健康食品"，就有一类是"低盐饮食"。FDA 对于这样的食品宣称有助健康完全认可。如果产品确实低盐，厂家就可以宣传"低盐饮食可以降低高血压发生的风险，该病与多种因素有关"和"富含钾而且低钠的饮食可以降低高血压和中风的风险"。与此相对应的是，对于鱼油减轻冠心病发生的风险，FDA 要求厂家的宣传必须注明"有科学证据支持但是不够充分"。而对于另一个著名的说法——绿茶抗癌，FDA则要求厂家在宣传有一定的研究证据支持的基础上，必须说明"FDA认为绿茶不大可能有这样的作用"。

现代科学认为盐对健康的危害是如此明显，以至于美国有一个机构致力于推动把盐从 GRAS（前面的文章中曾提到过，意为"一般认为安全"）的名单中去除，而且要求在食品尤其是含盐较多的食品上标明"食盐会增加高血压的风险"之类的警告。

为什么不到有害剂量万分之一的苏丹红会被禁用，而影响多数人健康的盐却通行无忌？是因为高血压的危害不如癌症大吗？

不是！

一种外加成分能否在食品中使用，并不仅仅取决于它的安全风险，还取决于它带来的好处是否不可替代。像苏丹红这样的成分，并不能实质性地提高食品的价值。所以哪怕是一点点的风险，也不被人们所接受。而盐，除了要靠它来实现体内电解质平衡，更重要的是——没有了它，吃什么都不香了。所以，人们只能"忍受"它的危害。

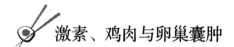 激素、鸡肉与卵巢囊肿

　　网友飞扬提了这么一个问题：有人说美国的鸡有好多个翅膀，所以肯德基不能多吃。道听途说，不知是真是假？还有前几天发现一个病例，十五岁小女孩得了卵巢囊肿。医院里这种病例有点儿多，医生说不能多吃鸡肉，现在的鸡都是用激素喂大的。

　　这几个问题牵涉的方面比较多，简单分析一下。

鸡翅和肯德基

　　首先，我得很严肃、很负责任地说，美国的鸡也是每只两个翅膀，跟中国还有世界其他地方的没有区别。这个问题在另一篇文章《一只小鸡几个翅膀》里有仔细的分析。

　　肯德基之类的快餐是一些高热量、营养成分单调的食品，长期只吃它会造成营养不良，这是事实。还有一个事实是不管什么所谓的"有营养"的东西，只要长期只吃它也会造成营养不良。那些快餐食品也没有宣称自己是"健康食品"，人家的卖点是"方便快捷"。肯德基之类的快餐在美国就像国内三轮车卖的盒饭，吃的人都是图个便宜方便。只图方便不怕贵的人都吃自助餐去了。虽然中餐也受到批评，但是中餐自助餐的"档次"比起肯德基、麦当劳之类的快餐还是高一些。

鸡肉和卵巢囊肿

严谨地说，没有任何证据说明鸡肉和卵巢囊肿无关；当然，更没有证据说明二者相关。若有病人吃过比较多的鸡肉就将患病原因归咎于鸡肉，是完全不合理的推断。抬杠的话，这几个病人吃的米饭还更多呢，为什么不说是米饭惹的祸？当然深信不疑的人会说"米饭吃了几千年都没事，当然不会是米饭的错了"。同样的逻辑，吃鸡肉的人那么多，有几个得卵巢囊肿？不吃鸡肉的人，又有几个得卵巢囊肿？只有比较这个比例才有意义。

严肃地说，如果谁能证实吃鸡肉，或者说吃了快餐店的鸡肉会得卵巢囊肿——甚至，退一步说，得卵巢囊肿的可能性会显著提高，一定是引起轰动的重大发现。即便成不了院士，到绝大多数大学当个教授应该是没有问题的。

基本上，把得卵巢囊肿归咎于吃鸡肉，跟把陈晓旭之死归咎于她家的大理石一样，属于用"莫须有"的理由来解释一件未知的事情。就像我家乡的光棍，会将讨不到老婆归咎于小时候吃了猪蹄一样，从"传统文化"的角度来说，吃猪蹄娶不到媳妇的说法甚至有着更为悠久的历史。

激素与鸡肉

养鸡场用激素的还真是不多，一般所说的鸡饲料添加剂并不是生长激素。且不说生长激素到底有没有问题，普通公众分不清"生长激素"和"添加剂"也无可厚非，但是医生或者"专家"们连基本概念都没有搞清楚就跳出来说这说那，实在很有主张吃红薯能治癌症的林博士的神韵。

吃什么鸡肉

当生活水平提高了，人们就会想吃更多美味的食物，比如鸡肉。于是，如何生产更多的鸡肉就成了人类面临的巨大问题。对于养鸡来说，大规模集成化的养殖面临着防病的问题。想想一个养鸡场几百万只鸡互相传染会是怎样的景象？所以，使用抗生素就成了一种需要。养鸡行业里使用最广泛的饲料添加剂叫做洛克沙生，是一种有机砷化物，同时具有抗生素和促进生长的作用。看到"砷"这个字，人们就会想起潘金莲毒死武大郎的砒霜。其实自然界中本来就存在着砷，我们周围的水、空气、土壤中都有浓度不同的砷。一般而言，有机砷化物毒性并不强。所以，FDA 允许在鸡饲料中添加洛克沙生。多数的洛克沙生会原封不动地排出体外，少部分会在鸡体内被吸收。FDA 允许鸡肉中含有 0.5ppm 的砷，而在鸡肝中则允许 2ppm（说句题外话，肝是动物体内毒素富集的部分，我极其不理解许多人给婴幼儿喂鸡肝粉）。有机砷有可能转化成无机砷，毒性会增强，所以对于鸡肉中的砷一直存在着许多批评。更重要的是，排出鸡体外的洛克沙生会进入自然界，比如水源、土壤中，成为一种污染源。砷在人体内的富集会增加多种癌症的发生风险，但是多大浓度下会有真正的危险比较有争议，FDA 认为鸡肉中含有 0.5ppm 的砷没有危险，不过，也有很多人批评这个标准太高。

因为这种可能的危害和对环境的污染，禁用洛克沙生的呼声一直不断。美国最大的鸡肉生产商曾经打出了"未用抗生素喂养"的宣传，遭到竞争对手起诉，该厂商辩称他们没有使用洛克沙生，但是因为他们使用了其他抗生素，最后被裁定不许使用这一标注。

看来现代化养殖的鸡，不用抗生素是很难了，行业发展的方向只能是寻找更好的抗生素而已。对于看到"激素"、"抗生素"字样就反感的人来说，只有不吃这些工业化养殖的鸡了。所谓的"走地鸡"是否就是答案了呢？工业化生产的鸡中含有什么，风险有多大是清楚的，或者说人们试图弄清楚，你可以选择。而所谓的"走地鸡"将无法严格控制，你不知道它们吃了什么，也不知道它们身上是否有病源。一只一只地检测是不可能的，人们只能用"不知道有没有就当做没有"的信念来"相信"这些动物的安全。

严格控制生产过程的"有机产品"或许是一条出路，不过很难乐观地预测在可以预见的将来，其生产成本能够降到与当前的工业化生产竞争的程度。

其实，鸡肉中的砷也没有那么可怕。在海产品中，砷的浓度远远大于鸡肉中允许的 0.5ppm，但是因为海产品是"天然"的，也是以有机砷的形式存在，所以人们并不认为会给人体带来危害。有人做过检测，不同的海产品在不同的烹饪过程中，其所含的有机砷会不同程度地转换成无机砷。换句话说，我们认为很安全的"天然产品"，可能还含有更多的有毒成分。

从某种意义上说，鸡饲料中使用添加剂也是一种无奈，为了满足更多人群能够支付鸡肉价格的无奈。绝对安全的食物是没有的，人类能做的，只能是不停地去发现各种选择可能的危害，然后作出目前所知危害可能性最小的选择。

 聚 议 厅

橘子帮小帮主：

造多翅膀鸡没这么容易的。突变小鼠多一条腿就已经是超大新闻了，而且多的那根还长不好。我坚决不信。

148

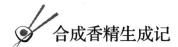

合成香精生成记

通常所说的食用香精，是指用在食品中的调味剂。人体"尝"味道，是某些有机分子与味蕾上的受体结合，产生神经信号，传送到大脑的过程。实际上，人的舌头能够感受到的基本味道只有五种：甜、酸、咸、苦、鲜。前四种就不说了，大家都知道。所谓的"鲜"是指谷氨酸盐产生的味道，最常见的就是味精。也有人不把"鲜"当做一种基本味道，那么舌头感受到的基本味道就只有四种。味精的问题可以说的东西比较多，我在另一篇文章《味精、鸡精与鸡粉》里有介绍，这里不再赘述。

对于人体感受香味来说，嗅觉更加重要。食物中一些挥发性的分子，与鼻子中的嗅觉受体结合，也产生神经信号。这个过程跟舌头"尝"味道类似。而嗅觉的感知能力要比味觉的强得多，人体能够感知到的气味有几百上千种。

而我们感受到的食品的味道，是味觉与嗅觉的综合。大家都有这样的经验：感冒鼻塞的时候，吃啥都不香。离开了嗅觉的合作，人们无法享受美味。所以，从科学的角度来说，很难相信鼻子不灵的楚留香能够吃出美味来。

我们吃到的各种食物味道各不相同。天然提取的香精，动辄有几十种甚至几百种化学成分。但是，进一步研究发现，每一种天然香料中，往往只有一种或很少的几种成分对香味作出了贡献。合成香精的成分，就是人工合成或者分离得到的这些组分。比如说，香草味主要来自于香草醛(一个只有八个碳原子带苯环的醛)，而柑橘的酸味来自于柠檬酸(八个碳原子的有机酸)，气味则来自于醋酸辛酯，黄油的味道来自于丁二酮(或者叫二乙酰，一共四个碳原子)，香蕉的香味来自于醋酸异戊酯，菠萝的香味来自于醋酸丙酯。这些成分都是有机小分子，结构很容易确定，也不难通过化学合成得到。天然产物成分复杂，一般而言，从天然产物中分离的香料成本高，杂质多，不同批次的产品之间一致性不容易保证；另一方面，杂质的组成也不易控制。而化学合成涉及的组成简单，产品一致性和纯度更容易保证。从这个意义上说，合成香料的安全性要比天然提取物更容易保障一些。但是，人们评价一种香料的时候，倾向于把天然香料当做标准，把"像"天然香料当做目标。因为天然香料中其他成分的存在，合成香料很难达到和天然香料完全相同的程度。

人们从食物中感受到的味道，除了香料本身，还跟食物特性以及如何使用香料密切相关。许多人都有这样的体验：相同浓度的糖，在不同的食物中，或者在同一食物但是不同的温度下，甚至在同一食物、同一温度但是不同颜色的情况下，会给我们不同的甜味。哪怕是盐，用得是否合适也很关键。不管是合成的还是天然的香料，都是如此。在现代食品工业里，香料公司往往是单独存在的。在开发某个食品的时候，开发人员对于味道提出要求，专门人员("香味家"或者"香料师")就会根据各种香料成分以及它们之间协同作用的规律，混合不同的成分，获得最终的味道。这些混合成分的配方以及使用方法交到食品开发人员手里，加入食品配方中，送给品尝者评价。品尝者的意见再反馈到香料师那里，往往要经过多次往复，才能最终找到适当的配方。在这个过程中，需要香味师把有关香料的科学知识和人体的感官体验很好地结合起来。

总的来说，合成香料可以看做是天然香料的工业制造版本。对于消费者来说，是天然的还是合成的并非关键，更重要的因素在于如何使用，以及喜欢什么样的味道。

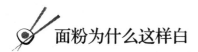

面粉为什么这样白

一位朋友给我看一篇文章，是她的朋友采写的关于是否禁止面粉增白的争议。目前的国家标准是可以使用增白剂增加面粉白度的，争论的焦点在于即将修订的新标准是否应该禁用。据说几个国家部委、不同的行业代表，对此展开了激烈交锋。像这样的问题，本来是纯粹的技术问题，不应该通过"民主表决"或者"利益协调"来解决的。那么，从技术的角度如何来看待这一争端呢？

面粉为什么变白

在电影、电视和文学作品中，地主家的馒头都是又大又白，穷人家的都是又黑又硬。从消费者的需求来说，是希望面粉白的。不过，天然的面粉中含有一些类胡萝卜素，使得新磨出的面粉呈现一定的黄色。在保存过程中，这些色素被空气自然氧化，面粉就逐渐变白。用这样的方式来等面粉变白，在大规模生产中有很大弊端，首先是耗时长，意味着成本的增加；其次，食品的长时间保存总是面临着细菌生长的问题。在现代化生产中，人们加入氧化剂来人为地氧化这些色素，从而让面粉在短时间内变白。严格说来，这是一种"漂白"的过程。在英语里，就用的是"漂白（bleach）"一词，而不是中文里用的"增白（whiten）"。目前使用最广泛的过氧化苯甲酰（Benzoyl Peroxide，BP），就是一种很强的氧化剂。每公斤面粉中加入几十毫克，就可以在两天内把面粉变白，同时它还能在一定程度上改善面粉的性能。过氧化苯甲酰氧化色素之后变成苯甲酸，苯甲酸本身是一种防腐剂，能够防止面粉中细菌的生长。

面粉的颜色还与小麦的出粉率有关。小时候在农村，农民自己种小麦"打"面粉。家境比较好的人家一百斤小麦只出七十来斤面粉，就很白，家境差一点的人家要出到八九十斤，就比较黑了。更穷的人家把所有的小麦磨成粉，称为"连麸面"，很黑很粗糙，只能自己吃，就不好意思拿出来招待客人了。不过，"连麸面"含有现代人的饮食中所缺乏的纤维素，对于注重营养而不在乎口味的人来说，还是很有吸引力的——正式的名字是"全麦面粉"。

欧盟为什么要禁用 BP

过氧化苯甲酰(简称 BP)，就像它的名字给人的感觉一样，是一种相当危险的化学合成物质。它具有超强的氧化能力，不但能氧化面粉中的色素，也能氧化其他东西。在医学上，它被用来治疗粉刺痤疮之类的皮肤病。高纯度的 BP 是一种易燃易爆品，用在面粉中的 BP 是使用淀粉等物质稀释到了较低纯度的。

近些年的研究发现，较高浓度的 BP 有导致皮肤癌的风险。对于治疗粉刺痤疮之类皮肤病的 BP 产品来说，这种风险就不能忽略了。FDA 在最近也把这类产品的安全等级由"无安全性问题（no safety concern）"改成了"未知(unknown)"。

当然，面粉处理中的 BP 浓度远远低于导致皮肤癌的浓度。对它的安全性考虑来自于三个方面：第一，BP 在面粉中转化而成的苯甲酸是一种防腐剂；第二，BP 破坏了面粉中的叶酸等 B 族维生素；第三，BP 可能氧化面粉中的其他成分，从而带来未知的风险。

由于以上的这些安全性疑虑，欧盟做出禁止在面粉中使用 BP 的决定，也就很容易理解了。

为什么 FDA 和 JECFA 允许使用 BP

FDA 是美国管理药品食品的专门机构，JECFA 是联合国粮农组织和世界卫生组织所属的食品添加剂联合专家委员会。对于食品添加剂，他们的工作方式是组织专家汇总审查公开发表的研究文献和有关机构提供的研究报告，然后对安全性做出结论。在世界范围内，他们和欧盟委员会的结论通常被认为权威性最高。我国的有关部门，一般会援引这些机构的结论来制定政策。

对于 BP，FDA 和 JECFA 认为目前面粉加工中的使用量不存在安全性的问题。他们对于上面提到的三个安全性问题是这样认为的：

苯甲酸在许多蔬菜水果中天然存在，本身也是一种合法的食品防腐剂。因为面粉中 BP 转化而来的苯甲酸含量大大低于食品中苯甲酸的允许使用量，所以并不会明显增加健康风险。

BP 的确破坏了面粉中的 B 族维生素等营养成分。不仅 BP，别的面粉漂白剂也会。一方面，这些营养成分并非面粉中独有，更多存在于一些绿叶蔬菜中；另一方面，美国市场上的面粉除了"漂白"，还会"加强营养（enrich）"，就是把加工过程中损失的 B 族维生素以及铁补充进去，甚至还可以加进相当量的钙。

BP 氧化别的食物成分会带来潜在风险。因为 BP 的强氧化性，这种"潜在"风险在理论上是存在的。但是，实际上没有人在 BP 处理的面粉中检测到这些有害物质的存在。

基于这些考虑，FDA 和 JECFA 认为在正常使用下，BP 漂白面粉并不会带来安全方面的问题。

个人意见：使用但需标明

有人会觉得，科学是如此的靠不住。同一个东西，不同的机构却作出"相反"的结论。食品的安全性评价，并非"安全"、"有害"这样黑白分明。离开了使用量来谈"安全"或是"有害"，并没有太大的意义。欧盟、FDA 和 JECFA，他们所依据的研究结果和科学事实是一样的，不同只在于对于风险的评估和接受程度的差异。欧盟认为，面粉中 BP 所带来的风险——或许只是"潜在"的，不可接受。而 FDA 和 JECFA 认为，这样的风险完全可以忽略，而它带来的好处，则更为重要。

我的个人意见是，理论分析、实验检测，还有这么多年的使用没有发现安全性问题，BP 漂白面粉所带来的健康风险应该是可以忽略的。不过，它所带来的好处——让面粉变得更白以及在一定程度上改善面粉的加工性能，我并不是很在意。所以，我不认为面粉漂白有太大的必要性。但是，人们吃东西，感官享受毕竟也是很重要的方面。抽烟有害健康，喝酒伤害身体，吃肥肉也对减肥不利……还是会有人觉得"享受"更加重要。相比于这些东西的健康风险，漂白面粉的健康风险应该要小得多。所以，如果有人觉得面粉的"白"很重要，使用 BP 漂白也没必要被禁止。

美国的做法很值得借鉴。企业可以生产不增白的面粉，只要你确实没有加 BP 或者别的漂白剂，就可以标明"未经增白"。如果使用了 BP 并且用量不超过国家标准的规定，也可以标明"增白处理符合国家某某标准"之类，如果添加了加工过程中损失的营养成分，也可以标明。有没有经过漂白，有没有补充营养成分，对消费者来说一目了然。有关部门保障食品安全的工作，制定标准是最容易的一环。更难更关键的，是严厉打击违反标准的企业，同时保护遵守标准的企业。

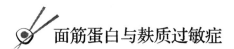 面筋蛋白与麸质过敏症

在 2003 年的时候，美国大约有 135 种食品是"无面筋蛋白
(gluten-free)"的，到了 2008 年，这一数字增加到了 832 种。据估
计，在将来的几年中，"无面筋蛋白"食品的销售量会以 25% 的速度
增长。面筋蛋白是小麦和大麦等粮食中的蛋白质，中国传统名小吃
"面筋球"的主要成分。为什么这种天然的蛋白质，在美国如此不招人
待见，要被剔除出食物呢？

面筋蛋白：引发麸质过敏症

面筋蛋白叫做 gluten，是几种蛋白质的总称。一般而言，蛋白质
进入胃肠之后，会被消化成单个的氨基酸，然后被小肠吸收从而成为
营养成分。但是，面筋蛋白不能够完全分解成单个氨基酸，会保留一
些含有几个氨基酸的小片断。这样的片断被称为"多肽"。多肽能够引
发人体的免疫反应，这也是一些蛋白质在口服之后还具有某些生物活
性的原因。

面筋蛋白的多肽对于身体机能完全正常的人来说，倒也没有什么
影响，但对有一类人，能引发免疫反应，后果是破坏小肠绒毛。小肠
绒毛是人体消化系统中至关重要的环节，它们构成的庞大表面积是营
养成分被吸收进入血液的通道。通道被破坏了，吃到肚子里的营养成
分就只能"酒肉穿肠过"了。不能吸收，吃再多再好的食物也没什么

用处。

这种疾病被称为"麸质过敏症(Celiac Disease)",也有人把它叫做"乳糜泻"。对这种病人来说,别人视为美味的面筋食品对他们无异于"毒药",会导致人体的免疫和消化系统同时异常。

症状:非典型的多样化

对小孩子来说,麸质过敏症主要表现为与消化功能有关的症状。比如,腹胀、慢性腹泻、呕吐、便秘等,还有大便异常、恶臭而且有油一样的东西。因为营养不良,生长缓慢,甚至体重不但不增加反而下降。小朋友也变得脾气暴躁,容易发怒。

对成人来说,麸质过敏症的表现更加多样。有的人有多种症状,有的只有一种甚至没有明显症状。可能的症状有缺铁性嗜睡、疲劳,与关节有关的疾病比如关节痛、关节炎和骨质疏松;还有忧郁、焦虑、手足麻木、口疮以及癫痫等;对于成年女性,还有月经不调、不孕以及反复自然流产等症状。

不难看出,这些症状中没有什么很"特别"的表现,很多其他的疾病也表现出相似的症状,这给诊断带来了很大困难。实际上,很难通过症状去判断患者是否得了"麸质过敏症"。也就是说,读者不要对照上面的症状去给自己"看病",否则自己吓唬自己的可能性很大。

如果麸质过敏症患者的食物中含有面筋蛋白,血液中的一些自身抗体(一种能够与自身蛋白发生抗原—抗体接合的蛋白质)的含量会上升。在医学上,就可以通过检测血液中这种蛋白的含量来诊断麸质过敏症。目前,一个患者被检出患病的准确性可以达到99%,不过,一个非患者也有百分之几的可能性被检测为患者。

从统计学的角度来说,这样的血液检测可以大大提高判断病人是否患病的准确性,但是并不能完全确认患病与否。比如说,一个"有病"

的检测结果，可能来自于那几个百分点的非患者；而一个"正常"的检测结果，也有可能来自于那1%的患者。进一步的确诊需要做"小肠组织活检"，就是取出一些小肠绒毛组织，用显微镜来看它的形态。不过显然，这样的检测比较复杂，只有在非常需要的时候才会进行。

治疗：无法医治靠"忌口"

到目前为止，麸质过敏症是无法治疗的。幸运的是，只要不吃含有面筋蛋白的食物，它就不会发作。这就是"无面筋蛋白"食品出现的原因。

就粮食而言，面筋蛋白存在于小麦、大麦和燕麦的面粉中，在其他粮食原料中并不存在。但是，现代食品，尤其是许多配方食品，含有各种来源的原料，其中就可能含有一些面筋蛋白。麸质过敏症患者对于面筋蛋白非常敏感，很少量的面筋蛋白就能够引发症状。普通小麦面粉中含有百分之十几的面筋蛋白，这个含量已经太高了。FDA在2007年1月份发布了对"无面筋蛋白"食品的标注要求，规定含量不超过百万分之二十才可以称为"无面筋蛋白"。如果一种食品没有宣称自己"无面筋蛋白"，并不意味着它就含有面筋蛋白，但是作出了这样的标注，就意味着对消费者的承诺（当然也意味着可以卖得贵一些），如果超标了就会因为"错误标注"而受到惩处。如果有消费者因为食用了这样的食物而导致症状，那么厂家会赔偿到吐血。

中国：幸运还是落后

传统上说，麸质过敏症在西欧人中的发生率比较高。以前人们认为在美国人中的发生率很低，可能只有万分之二。由于它的症状跟别的疾病一样，很容易被当做别的疾病处理而被误诊。近年来随着诊断技术的进步，有关部门发现美国人中得麸质过敏症的患者越来越多，现在统计出的发生率在 1%左右。

麸质过敏症跟遗传有关系。如果直系亲属中有患者，那么患病可能性会增加五倍左右。后天因素，比如手术、怀孕、病毒感染、严重的情绪应激，也有可能引发这种疾病。现在的统计数据显示，它在中国和日本等地区的人群中发生率很低。但是，目前我国的医生并没有很丰富的经验来诊断这种病。"低发生率"是我们的幸运，还是仅仅因为大多数患者没有被诊断出来，就像美国以前那样？

 牛奶无秘密

　　所谓秘密，是对不知道的人而言。牛奶被人类研究了很多年，直到现在还有很多人在孜孜不倦地研究。从某种程度上说，牛奶家族已经没有什么大的秘密了。这虽有侵犯隐私之嫌，可是谁让它们被人类给惦记上了呢？俗话说，不怕人偷，就怕人惦记。一旦被人类惦记上，总要找事做的科学家们就不会罢休。

　　牛奶是脂肪在水中分散成小颗粒而形成的。这些小颗粒被蛋白质所包裹因而能够稳定存在。光照到小颗粒上发生散射，牛奶就呈现出"乳白色"。牛奶中的脂肪大概占4%左右，水中的蛋白质总量大概有3.6%，另外还有4%左右的乳糖以及维生素、矿物质等。糖的适应能力比较强，和水相处融洽，和脂肪也就不怎么来往；蛋白质很多，有一部分活动能力强的能够抢占脂肪和水的界面，找到自己的安乐窝，其他的在界面上找不到地方，只好在水里待着。

　　牛奶里的蛋白质有两种类型。

　　一种叫做酪蛋白，长得极具个性。蛋白质都是由一个个的氨基酸连接在一起形成的。有的氨基酸喜欢和水待在一起，叫做亲水氨基酸；有的不喜欢水或者不被水喜欢，而是喜欢和油或者脂肪待在一起，叫做疏水氨基酸。酪蛋白其实是一个家族，有好几个兄弟，它们家所有成员身上的疏水氨基酸和亲水氨基酸都相对比较集中，从而形成一个疏水的部分和一个亲水的部分。这些蛋白质在水里的时候，亲水部分

很伸展，跟水分子们混得很熟；而疏水部分则聚在一起，跟水分子相处得比较别扭，它们能够在水里待着全靠亲水部分。

牛奶中的另一种蛋白质叫做乳清蛋白。它也有许多家庭成员，它们身上的疏水氨基酸和亲水氨基酸差不多是均匀分布的。氨基酸们不流行异性相吸，反而是物以类聚，疏水的喜欢和疏水的在一起，互相牵制的结果是形成了一个近似球形的结构。疏水氨基酸在内，亲水氨基酸在外，但是有一些疏水氨基酸和待在外面的亲水氨基酸太近，被牵连的结果只好是很不舒服地也待在外面了。这样的分子，就是一个表面亲水的球体，上面打了一些疏水的补丁。

当脂肪被分散在水里的时候，蛋白质们就纷纷游到脂肪表面去抢占地盘。酪蛋白身材苗条、疏水氨基酸集中，所以爆发力好，游得快；乳清蛋白胖乎乎的，疏水氨基酸虽然多，可是藏在内部的那些帮不上忙，表面的那些毕竟势单力薄，所以整个分子游起来比较慢。到最后，脂肪表面上基本上是酪蛋白家的人。自然界从来只相信实力，谁让人家游得快呢？

酪蛋白是目前食品工业中最好的蛋白质类型的乳化剂——当然，它的氨基酸组成对于人类来说也很合理，所以也经常被拿去当做保健品忽悠有钱人。一方面它们游得快，能够有效地降低界面张力，把脂肪分散到水中；另一方面，界面上的那些酪蛋白把疏水部分伸到脂肪里，亲水部分伸到水里，因为亲水部分很长，颇有点"长袖善舞"的样子。当另一个脂肪颗粒靠近的时候，各自身上的长袖就难免磕磕碰碰，为了安全，两个颗粒就只好保持一定距离，所以酪蛋白的这种身材很有利于脂肪颗粒的稳定存在。其实乳清蛋白如果能到脂肪表面的话，也可以起到乳化剂的作用，但是他们缺乏酪蛋白那样善舞的长袖，脂肪颗粒容易互相靠近而形成小团体，对于形成均匀的牛奶比较不利。

天然的牛奶颗粒很大，平均在几微米左右。微米是千分之一毫米，对我们来说可能已经很小了，但是在界面世界里，1 微米是很大的尺寸。因为脂肪比水轻，脂肪颗粒就不断往上浮。天然牛奶放置几个小时就会分层。再者，天然牛奶里有一些可能致病的微生物，除非挤出来的奶马上被喝掉，否则那些微生物会快速生长，大大增加致病概率。

显然，现代社会里的牛奶不可能现挤现喝，一定会有储存、运输、分销这样的过程，不经过处理的牛奶到达消费者手里的时候肯定已经坏了。最基本的处理是高压均质化和灭菌。生牛奶经过高压均质化处理，脂肪颗粒会减小到原来的 1/10 左右，相应的分层速度会降低一百倍的样子。也有些厂家会在某些牛奶产品里加入增稠剂来增加牛奶的黏度，从而可以降低分层的速度。增稠剂通常是一些多糖，也是食品原料，跟淀粉没有本质上的区别。天然的牛奶黏度很低，用增稠剂增加黏度的做法除了增加稳定性，另一方面也确实迎合了很多人的喜好。黏度高的，看起来好像要浓一些，也有不少人喜欢"黏"的口感。

牛奶本身是很适合微生物生长的，所以灭菌对于储存就极为重要。现代化的灭菌过程有两种。一种称为"高温快速"或者巴斯德灭菌，通常是在 72℃ 左右加热 15～20 秒钟，各个厂家不完全相同。虽然这种方法能够较大限度地保持牛奶中的成分不被破坏，但是灭菌不完全，大约还有十万分之一的细菌能够经受住考验，等到条件适合，就"星星之火，可以燎原"。这种牛奶被称为鲜奶，仍然需要保存在冰箱里，而且也放不了多长时间。一般而言，超过两周大量细菌可能就长起来了。另一种方法称为"超高温"，比如在 135℃～140℃ 的温度下处理一两秒钟。这种方法灭菌很完全，不打开瓶子的话，在常温下放置几个月也没问题，牛奶中的主要成分如蛋白质、脂肪、糖、钙等也没有被破坏。

如果用牛奶中的主要成分重新做成牛奶，得到的奶几乎是没有味道的。换句话说，"奶味"并不是奶的主要成分带来的。天然牛奶的味道受奶牛饲料的影响很大。传统吃草的奶牛产出的奶其"奶味"会浓一些。但是这种味道缺乏一致性，这头牛所产的牛奶的奶味跟那头牛的可能不同，一头奶牛今天的奶味跟明天的也可能不同。这在现代化工业生产中是不可接受的，所以现代化的牛奶农场需要喂标准化的饲料，以产出质量稳定的牛奶。否则，从超市买回的牛奶，今天的跟昨天的味道不同，会让消费者无所适从。

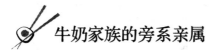牛奶家族的旁系亲属

上一篇说了牛奶各方面的情况，这一篇说说出身牛奶家族，但是自立门户的一些主要食品。

奶油与脱脂奶

上一篇说过未经加工的牛奶脂肪颗粒很大，容易分层。奶油就是分出来的被蛋白质包裹着的脂肪颗粒。如果对生牛奶施行离心处理的话，奶油就更容易被分离出来。分离了奶油剩下的液体就是脱脂奶。脱脂奶中没有脂肪，但是还有大量没有在脂肪表面抢到地盘，只好无奈地待在液体中的酪蛋白。酪蛋白被人类惦记上的原因是它的独特结构，前面说过了它的分子结构很特别，疏水氨基酸和亲水氨基酸分别集中在一起，像一个巨大的表面活性剂分子。因为疏水部分不受水分子欢迎，处处受到排挤，当水中的酪蛋白很多的时候，几个酪蛋白的疏水部分也会凑在一起，把亲水部分朝外面，避免与水分子的接触。这样，这些酪蛋白分子就形成了一个小集团，可以像脂肪颗粒一样忽悠照在它们身上的光线，从而呈现"乳白色"。这样的能力是别的食用蛋白所没有的，别的食用蛋白在水中很难形成稳定的乳白色液体。比如豆浆，就无法做成"脱脂豆浆"。

分离出来的奶油可以进一步脱水，变成"重奶油"，也可以用奶稀释，变成"轻奶油"。总之，改变奶油的含水量，可以得到不同性质的

奶油。

全脂奶含有大约 4％的脂肪，脱脂奶没有脂肪。如果把分离出来的奶油再加回去，就可以得到脂肪含量不高的低脂奶，比如 1％脂肪、2％脂肪的牛奶等。因为很多香味物质和维生素是溶解在脂肪里的，脱脂的时候那些味道也失去了，这就是为什么脱脂奶没有全脂奶"好喝"的原因。

奶酪

奶酪经常被冠以"芝士"或者"起司"这样比较洋气的名字。传统的奶酪先用乳酸菌发酵，等到牛奶变酸，再加入一种从牛胃里分离出来的叫做凝乳酶的蛋白质（希望这不会影响胃口，其实从牛胃里分离出来，跟牛胃没有什么关系了，很干净的）。凝乳酶是一种很有趣的蛋白质，它的作用是把酪蛋白分子在某个特定的位置断开。碰巧一个酪蛋白分子被切的地方是疏水部分和亲水部分的中间，于是得到的两段一段是亲水的，一段是疏水的。亲水的那段倒是好办，自由自在地在水里玩儿；而疏水的那段，到处受到水分子的歧视和排斥，没有了亲水的那段罩着，日子不好过，就到处寻找同伴。因为牛奶中的酪蛋白本来就比较多，这些疏水的酪蛋白片断很容易就互相牵手组成了"一张无边无际的网"，轻易地把那些脂肪颗粒"困在了网中央"。那些被困的脂肪颗粒"越陷越深越迷惘"，最后，和酪蛋白组成的网络一起形成固体分离出来，这就是奶酪。奶酪的味道、口感与这些操作过程中的每一个条件都有关，所以不同公司生产出来的奶酪味道不同，而这些操作条件也就成了各自的不传之谜。

因为发酵的作用是让牛奶变酸（凝乳酶要在酸性环境中活动），现在也有不发酵而直接加有机酸的。只是这样生产出来的奶酪品质不高，只是成本低而已。至于凝乳酶，从牛胃里提取毕竟是件很麻烦的事情，基因工程技术的发展使得人们可以用细菌来生产，所以凝乳酶的获取倒是变得更容易了。

有的公司把奶酪宣传成"浓缩牛奶"，说是 1 斤奶酪来自于 10 斤牛奶，给人一种奶酪是牛奶精华的感觉。1 斤奶酪来自于 10 斤牛奶可能没有问题，只是不知道价格与 10 斤牛奶比如何。另一方面，奶酪的成分跟牛奶的还是有很大差别。就成分而言，酸奶要更全面一些。奶酪的魅力在于它独特的口感风味等，虽然营养成分上也不差，但是把它当成一种神奇的"补品"完全是忽悠。

奶粉和蛋白粉

把全脂牛奶中的水蒸发掉，得到的是全脂奶粉；把脱脂牛奶中的水蒸发掉，得到的是脱脂奶粉。二者的差别是显而易见的，全脂奶粉中含有大量的脂肪颗粒，而脱脂奶粉就全是蛋白质。

在奶酪形成的过程中，酪蛋白和脂肪变成了奶酪，剩下的溶液叫做"乳清溶液"。在以前这部分被当做废液扔掉了。后来人们对其中的成分进行研究，发现其中的蛋白质也有非常好的性质。从营养的角度说，这些漏网的球形蛋白和酪蛋白一样，也是质量得分为 1 的优质蛋白。从功能的角度说，它们的溶解度、乳化性、能起泡性能也非常好。这些球形蛋白被命名为乳清蛋白，也是若干种蛋白质的总称。

于是乎，经过科学家们一折腾，废液就成了宝贝，乳清溶液中的乳清蛋白被分离出来成了一种优质的食用蛋白。在配方食品中，它也是一种很有用的原料。当这种蛋白被卖给中国同胞的时候，就被包装成了保健品，价格也随之翻了几个跟头。反正有十几亿的同胞，从来不缺冤大头。其实，不管是酪蛋白粉还是乳清蛋白粉，不会比脱脂奶粉有什么更优越的地方。当然，如果有的公司在里边加入一些其他成分，让消费者体会到某种神奇，也是不难的事情。就像在馒头里加入一些感冒药，也可以说是能治感冒的"神奇馒头"。这种商业运作上的猫腻，从来都是各有神通。

酸奶

酸奶是牛奶家族的一个大分支，前面有一篇《我的酸奶我做主》，对其详细分析过了，这里就略过。

黄油

黄油在化学组成上与奶油没有本质区别。当奶油中的水越来越少，在外力的作用下，脂肪颗粒纷纷破裂，连成一片。而水成了少数派，蛋白质依然待在脂肪和水的界面上。只是这个时候分散的是小水滴，连在一起的是油。奶油看起来像浓缩的奶，而黄油则就更像油了。可以这么说，黄油和奶油的基本组成是一致的，只是奶油是油滴在水里，而黄油则是水滴在油里。

炼乳

炼乳很简单，把牛奶在真空条件下蒸发去掉大量的水，剩下大约初始体积的1/4，再加入大量的糖就行了。

牛奶家族所有成员的主要营养成分的差别并不太大，在消费的时候不要轻信那些半真半假的宣传，根据自己的口味买便宜的种类就行了。这里说的种类是指类型，而不是具体的产品，比如说奶酪和酸奶是不同的种类，伊利牛奶和三元牛奶是具体的产品。对于奶制品来说，是否卫生安全更为重要。

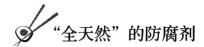

"全天然"的防腐剂

在超市里，如果你看见一个熟肉制品的标签上写着：防腐剂（亚硝酸钠），而另一个其产品成分完全一样，只是写着"不使用防腐剂"，而代之以"芹菜粉、活性菌培养物"。若后者的价格要贵 10%，你会买哪一种？

对于许多人来说，多付 10% 的价格去购买这样"全天然"的食品，是理所当然的事情。在这个现代工业饱受指责，人们纷纷追逐"天然食品"的时代，任何"天然"的大旗都可以带来滚滚财源。

那么，什么是"天然食品"？它是否就一定安全呢？

2008 年，美国食品技术协会（现在它的影响力已经扩大到了美国之外）在新奥尔良开年度大会的时候，政府主管部门、食品科学家和工业界的代表曾经商讨如何给"天然食品"一个明确的定义。但是，最后没有讨论出任何结果。所以，"天然食品"依然只是一个生活中的泛泛概念，缺乏法律意义上的准确含义。传统上，FDA 解释为"没有加入合成成分的食品"，而美国农业部（USDA）则解释为"没有加入合成成分并且只经过轻度加工的食品"——不管是哪个解释，都缺乏法律术语的明确性。比如说，什么叫"轻度加工"？煮到 70℃算不算？煮到 100℃呢？用粉碎机打成酱算不算？那么，用菜刀剁成末呢？

幸好大多数人也不会针对是不是"天然产物"而上法庭，所以它有没有明确的定义也就不是那么关键了——每个人心中都会有一个

"天然"与"人工"的界限。只要不睁眼说瞎话倒也就没有什么问题——比如一面宣称"不含防腐剂",另一面的配料表里却又列着"山梨酸钾";或者,偷偷加了防腐剂,却信誓旦旦地说"纯天然"——这些就应该受到追究。而前面说的用芹菜粉加活性菌培养物代替亚硝酸钠,然后宣称"全天然",在现行的法律体系下就是合理合法的。

问题是,如果把这两种肉拿去做亚硝酸钠含量的检测,结果很可能是——二者的亚硝酸钠含量并没有明显差别!

面对这样的结果,你是否还觉得那 10% 的钱花得值呢?

这并不是厂家作假或者欺骗——他们可能确实只加了芹菜粉和活性菌培养物,最后产品中的亚硝酸钠——是"天然产生"的!

在肉类加工中,储存是一个大问题,因为肉实在很容易腐坏。从古到今,从中国到外国,人们都会采用一些腌制的手段来保存肉。在现代食品工业里,很常见的就是在肉中加入防腐剂,最常用的就是亚硝酸钠。一方面,它可以抑制细菌的生长,从而延长肉的保存时间;另一方面,它与肉中的肌红蛋白结合,在熟肉中会呈现诱人的红色。但是亚硝酸钠本身是一种有害成分,在人体内可能转化成亚硝胺——后者是一种致癌物,所以通常亚硝酸钠也被当做一种可能的致癌物。幸好科学家们做了大量的实验,找出了对人体健康的危害可以忽略的含量。国家标准中的最大使用量是远远低于有害剂量的含量,这也是它被允许使用的前提。

不过,人们总是倾向于追求"零风险",对于这些防腐剂总是避之不及,而追求"全天然"也就顺理成章了。但是,"天然产物"并不是"安全"的保障。比如说,这个例子中的芹菜粉,天然含有大量的硝酸盐,硝酸盐是许多绿色植物中天然存在的,在"活性细菌"的作用下,这些硝酸盐会有一部分转化成亚硝酸盐,而实现外加防腐剂的作用。从法律上说,它的原料确实是"全天然"的,也没有进行"非法"的加工。

这里最核心的问题在于："天然产物"不含有害成分，只是我们的一种天真的想法——动植物并不是按照我们的需求去进化生长的！在现代工业文明之前，我们觉得食物都是"天然的"、"安全的"，不是因为其中没有"有害成分"，而是因为我们不知道。

我国各地都有做腌肉、酸菜的习惯。通常人们会用海盐来腌制相应的原料，从而实现对食物的长久保存。这些用"传统"工艺生产出来的东西，会被大多数人当做"全天然"食品。在这些食物中，相当高的盐浓度本身在一定程度上可以抑制细菌生长，从而防止食物变坏。另一方面，海盐中本来就有一定量的硝酸盐或者亚硝酸盐，这些盐中本来存在的或者由硝酸盐转化而来的亚硝酸盐，也就起到了防腐剂的作用。

酸菜也是传统的"全天然"食品，其中更有可能含有大量的亚硝酸盐。中国国家标准规定肉制品中的亚硝酸钠含量每公斤不得超过30毫克，而在腌制酸菜的过程中，酸菜中的亚硝酸盐含量是一个由低到高然后再降低的过程。在最高点，可能达到每公斤100毫克以上，如果吃腌到这种程度的"天然食品"，就非常容易中毒；到最后完全腌透了，还会有每公斤几毫克的含量，只是这样的含量已经没有危害了。

我们都希望吃的东西"绝对安全"，而认为"天然食物"就能给我们这样的保证。可惜的是，这只是一种错觉，一种我们的祖先吃了很多很多年，所以就"没有问题"的错觉。许多东西的危害是轻微的、慢性的，在古代，既没有临床研究，又没有统计对比，人们不可能发现其中的危害。伟大的神农氏尝百草，也只能尝出让人急性中毒的东西。祖先吃了几千年的"天然食物"，只是吃不死人，或者没有吃出大病，并不是我们所想当然的那样"绝对安全"。现代科学告诉我们现代工业食品有什么样的危害，我们可以权衡这样的危害和它所带来的好处。而"传统的"、"天然"食物，不做同样的检测，其实是"不知道有没有害"，而不是"没有害"。

　　不管是"天然"的还是"人工"的食物，关键都在于它里面含有什么东西，而不是它从何而来。合成的外加防腐剂对人体可能的危害，"天然"含有的也同样具有。"零风险"是不存在的，我们只能尽可能降低潜在的风险。对于社会来说，关键是进行什么样的管理，并且把准确的科学信息告诉大家。比如前面所说的加芹菜粉的熟肉制品，美国主管部门的要求就是：你可以说"未加亚硝酸钠"，但是必须同时说明"含有天然生成的亚硝酸钠"——在准确的信息传达给公众之后，如果人们还是愿意多花钱去购买这个"天然食品"，那是消费者自己的选择。对于使用亚硝酸钠的厂家，这也是公平的竞争。

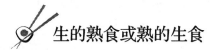

生的熟食或熟的生食

如果某一天你在超市里拿起一袋食物，问导购小姐"这是生的还是熟的"，导购小姐很为难地说："这是——生的熟食，或者——熟的生食……"你会不会认为她的精神有问题？但是，这正在成为现实，那就是"非热加工"的食品。说它是生的，是因为它没有被加热过；说它是熟的，是因为它确实可以像熟食一样直接吃。

为什么要把食物做熟了吃

在人类的历史长河中，生吃食物的历史可能要远远长于吃熟食的历史。会把食物做熟了吃，也算是人超越动物的一个标志。显然，祖先们很费事地把食物做熟了吃，肯定不是为了显示"情调"——像今天的人们把冰激凌或者咖啡弄得花里胡哨那样，而是有着非常现实的原因。

古人最初把食物弄熟了吃，大概只是为了好吃。不论是淀粉、蛋白质还是脂肪，生嚼起来都比较费劲。用今天的眼光来看，通过把食物弄熟，淀粉会吸水膨胀、交联糊化，随后形成良好的口感；而蛋白质被加热变性，尤其是其中的结缔组织失去机械强度，从而使得嚼起来比较容易。

更重要的是，古人很快发现，熟食不仅吃起来容易，吃完以后也不容易生病——至少，不会经常拉肚子了。于是，"吃了生的东西要

171

拉肚子"就成了一个信条,代代相传。大概我们每个人在小的时候都被谆谆教诲过"喝生水要生病",以至于许多人喝纯净水也要烧开再放凉。到了现代,人们才明白拉肚子不是因为吃了生食,而是生食中所带的细菌所致。在把食物弄熟的过程中,细菌即使没有被剿灭干净,剩下的散兵游勇也不能兴风作浪。现代食品加工,尤其是配方食品中,灭菌几乎是最核心的事情。

传统食品加工的弊端与非热加工技术

看看我们把食物做熟的操作——煎、炒、烹、炸、涮,烧、烤、炖、煮、蒸——除了"涮"没有"火"以外,其他的一看就知道要加热。而"涮"里面的"水",也指的是滚烫的开水。所以一提到把食物弄熟,人们总是不假思索地想到加热。加热也确实是最有效的把食品做熟的办法。在120℃(高压锅里的温度)下加热20分钟,几乎没有细菌能够幸存下来。如果到140℃,则只需要几秒钟就够了。

不过,人类吃够了熟食,现在又怀念起生食来了。熟食虽然解决了灭菌好嚼的问题,不过也破坏了人们想要留下的东西。比如说,要把细菌"热死",比细菌更不耐热的小分子成分,像某些维生素、香味物质等等,或者不省人事失去了功能,或者飘然而去挥发掉了。食物的外观也经常大受影响,或者变得形容枯槁,或者变得面如死灰。社会越来越发展,人们的口味也越来越刁,既要营养卫生,又要美味好看。加热这种存在了不知道多少年、为人类的繁衍生息作出了巨大贡献的食物加工方式,也就受到了越来越多的批评和指责。

于是,人们开始寻找能够实现加热的好处,却又没有加热弊端的食物加工方式,这就是"非热加工"的概念。在过去的几十年中,许多"非热食品加工"技术得到了广泛的研究,也取得了相当的进展,比如高压处理、脉冲电场、交变磁场、紫外照射等等。这些技术都能在一定程度上达到食品加工的目标，不过，其中只有高压处理的成本能够降到商业化的地步。

高压加工的原理与特色

所谓高压加工，就是把食物放在高压下保持一段时间，以实现灭菌和改变质地的目标。这里说的高压，不是通常说的"高压锅"里的那种"高压"。通常高压锅里的压力是两个大气压的样子，而高压食品处理所说的高压动辄几千个大气压。10 米深的水产生的压力差不多是一个大气压，你说几千个大气压有多大？

生物都是由细胞组成的，在高压下细胞会发生许多变化，比如细胞膜被破坏，维持细胞生命活动的酶失去活性等等。总之，在高压下，作为生命体的细菌跟在高温下一样，经受不住考验而香销玉殒。不过，对于压力的反应，细菌比人坚强多了。普通人在几米的水下就已经很难受了，而细菌通常在 2000 个大气压下还能支撑一段时间。在 3000～6000 个大气压下，大多数的细菌就坚持不住了。对于蔬菜水果来说，主要就是这样的细菌，所以高压处理最先是在蔬菜类的食物中得到应用的。而肉类中一些意志坚定的细菌，在 6000 个大气压下也还能道遥自在，就需要适当加热。比如说加热到几十摄氏度，双管齐下，它们也就顶不住了。还有一些细菌芽孢实在是厉害，加热到 75℃还能在 8000 多个大气压下生存，实在让人恼火。不过，人类毕竟"道高一尺，魔高一丈"，设计了一个"循环加压"的阴谋诡计。先加高压，细菌芽孢进入紧急状态，严密地把自己保护起来。人类摆出一副无可奈何败走撤退的样子，撤去压力。芽孢以为危机已经过去，春天已经到来，纷纷发芽繁衍。然后人类回头一击，再次加压，可怜的细菌们于是全军覆灭。

而那些维生素、色素、香味物质等小分子物质，对于高压这种

"逆境"却不敏感。当细菌们在苦苦挣扎的时候，它们却在一边谈笑风生，这情形跟加热的时候完全相反。这就是高压处理的最大魅力——杀死了细菌，却保留了食物的风味和营养成分。生物大分子，比如蛋白质和淀粉，对于压力有一定反应，但也不是那么敏感。高压能够破坏蛋白质的空间结构，但是不会把蛋白质分裂成片断，对于保持蛋白质的质感要比加热有利。而淀粉在高压下也能够实现糊化，不过，人们对此兴趣不是很大。

在加热处理食物的时候，热量只能从外往里传。对于大块或者大包装的食物来说，等到里面的加热好了，外面的已经熟"透"了。而压力是同时到达食物每个部分的，所以高压处理的食物熟度更加均匀。

高压加工的应用

高压处理食物，早在 1890 年就被发明了。不过直到 1992 年，才在日本实现了商业化。第一种商业化的高压食品是果酱。因为要保存较长时间，传统的果酱需要进行高温灭菌。这种热加工破坏了一些维生素和风味物质。而高压处理的果酱则在实现灭菌的前提下，很好地保持了果酱的风味，所以一上市就大受欢迎。现在，高压处理成功地应用到了果汁、米饭、火腿肠、海鲜等食物上。其中海鲜的高压处理优势非常明显。

一般人吃海鲜都追求"生猛"，所以海鲜通常只进行很轻微地加热，甚至完全不加热而生吃。但很多海鲜，尤其是牡蛎一类，极容易携带致病细菌。所以，享受完海鲜的美味然后以拉肚子作为代价的事情经常发生。但是，如果把海鲜深度加热到杀死细菌的地步，海鲜却又完全不"鲜"了。

高压处理很好地解决了这个问题。海鲜、鱼类中的细菌主要是革兰氏阴性菌，对压力比较敏感，在几千个大气压下几分钟就被杀死了。

而且，高压处理可以让蛋白质失去空间结构，许多酶却是依靠空间结构来实现功能的。酶失去活性也就延缓了海鲜中风味物质的分解，有利于将海鲜的风味保持更长时间。

高压杀死了细菌，对于风味几乎没有影响，却对于质感和外观有一些影响。当加压到3000个大气压以上时，外观看起来像经过轻微加热一样。对于质感的影响则跟具体的种类有关，有的种类是被压"软"了，而多数是被压得"硬"了一些。对牡蛎而言，高压处理之后，它更加多汁，外观更加好看。更有趣的是，高压处理之后，牡蛎的肉会从贝壳上脱落下来。实验结果是，2400多个大气压下处理两分钟，88％的牡蛎肉会脱落下来；而在3100多个大气压下，所有的牡蛎肉都会脱落。

不过，肉的脱落不见得完全是件有利的事情。毕竟脱落之后可能就没有那么肥美多汁了。后来又发现，如果用塑料袋把牡蛎扎上，加压处理之后，肉很容易剥下来，而且依然保持着"生剥"的其他特色。这对于卖纯牡蛎肉的工人来说，实在是一大福音。

 聚议厅

Pitaka:

像高压处理、脉冲电场、交变磁场、紫外照射等技术，都能在一定程度上达到食品加工的目标，不过只有高压处理的成本能够降到商业化的地步。能不能细说一下这几种处理的成本。

云无心:

高压的加工成本可以做到跟加热差不多。其他的好像还没有人投资做商业化，基本上还处在实验室攒数据然后在学术刊物上灌水的阶段。

乳化剂为何存在

很多人一听到"乳化剂"，就会想到乳胶漆之类的化工产品。说起表面活性剂，则很容易想到洗衣粉或者洗涤灵。所以对于食品中的乳化剂，也就多了一份天然的戒心。在这里，我们来介绍一下食品中为什么会有乳化剂，以及通常的食品乳化剂是什么。

什么是乳化

我们知道水和油是无法融合在一起的。但是在很多食品中，油和水的共存却又不可避免。比如蛋糕、冰激凌、咖啡伴侣、蛋白饮料、火腿肠等，在生产过程中都需要把油或者脂肪均匀地分布到水中。所谓"乳化"，就是把油（或者脂肪）均匀地分布到水中的过程。

油和水不能混溶，分子水平上的原因在于油的疏水性很强。在油和水的界面上，油分子和水分子都有逃避对方、逃到各自内部去的倾向。在这种倾向下，油和水就各自减小界面。从能量的角度说，在油和水的界面上存在一个高于纯水或者纯油的能量，被称为界面能。当油分散到水中的时候，表面积大大增加，所以整个体系的表面能就增加了。由于自然界的运动总是向能量降低的方向进行，所以分散的油滴就会重新聚到一起，从而减小整个体系的表面能。

有一种分子，有一个亲水的脑袋和一条疏水的尾巴。当油滴被分散到水中的时候，这样的分子就会跑到油和水的界面上，把疏水的尾巴插进油里，亲水的头伸到水里。这样，油和水不直接接触，界面能也就大大降低，从而使得油滴可以稳定地分散到水中。这样的东西最典型的例子是奶，油滴均匀分散在水中所得到的东西叫做"乳液"，而帮助形成乳液的东西也就被叫做"乳化剂"了。

为什么食物要进行乳化

如果把油倒在水中，下面是水，上面是油，谁都没法喝下去。但是如果把油均匀分散开形成一杯乳白色的液体，不管是外观还是口感，就都有了让人喝下去的欲望。其他的许多食物，比如蛋糕、火腿肠、冰激凌等，要想获得细腻的口感更是必须把油均匀分散开。

食品乳化剂

任何的表面活性剂都可以实现"乳化"从而成为乳化剂，但是多数的表面活性剂不能用在食品上。实际上，被批准可以用做食品乳化剂的物质也并不多，多数是一些脂肪酸的酯化产物。对于这些物质，也是"成熟一个，批准一个"，只有经过了大量安全性的检验，才能获得用于食品的通行证。

组成蛋白质的氨基酸也有亲水和疏水的类型，所以蛋白质分子就有了疏水的部位和亲水的部位。这样的结构使得蛋白质也有一些表面活性剂的特性，当它们跑到水和油的界面上的时候，也可以降低表面能而实现乳化。

小分子表面活性剂可以密密麻麻地挤在油和水的界面上，把界面能降到很低，所以小分子表面活性剂的乳化性能一般都很好。但是，小分子之间不会发生交联，形成的那层界面分子也比较弱。因此，小分子的乳化剂形成的乳液缺乏稳定性，难以经受高温以及长时间保存的考验。而蛋白质分子个头大，在界面上还能够互相连接形成网络结构。这样形成的乳液就要稳定得多。但是，蛋白质分子占据界面的能力不如小分子，降低界面能的效率不如小分子乳化剂高，因而蛋白质形成的乳液中的油滴一般比较大。小分子表面活性剂和蛋白质大分子各自的长处正好是对方的短处，有的产品会同时使用二者，在乳化性能和乳液稳定性之间找到一个平衡。最典型的例子是咖啡伴侣和冰激凌。

　　蛋白质除了乳化作用外本身也是营养成分，所以用蛋白质做乳化剂越来越受到重视。但是蛋白质的乳化效率不如小分子，价格却要贵得多，还是难以完全依靠。食品中另一种常用的乳化剂是大豆卵磷脂。它其实是大豆深加工过程中的副产物，因为其正统的出身和传说中的"保健功能"，受到了广泛的接受。

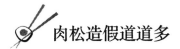

肉松造假道道多

在食品安全杯弓蛇影的时候，肉松的"行业黑幕"更显得触目惊心。那么，肉松是如何制作出来，又是如何被造假的呢？

肉松算得上一种历史悠久的民间食品，不同的地区、不同的人有不同的制作细节。不过其基本过程是一样的：

原料取自优质瘦肉，预处理去掉血水等杂质；

放入有一定调料的水中小火慢煮，过程中去掉煮出来的油；

煮到水干，得到肉胚；

肉胚再加调料，边炒边"擦"，直到肉中的水分蒸发，获得蓬松的纤维状；

进一步自然干燥，得到最后的成品。

从食品加工过程的角度来说，肉松的制作，就是通过长时间的加热，让肉中的脂肪浮出水面后去掉，同时肉中的可溶成分进入水中，留下不溶于水的纤维状蛋白。水蒸干之后可溶性蛋白析出，而不溶性蛋白也获得了蓬松的状态。经过后续的炒制过程，这些蛋白质失水干燥成为丝状的"松"。新鲜的肉中含有大量的水，可达百分之六七十，而最后的肉松含水量只有百分之十几。业内人士宣称三斤瘦肉才能做出一斤肉松，大致是可信的。另一方面，整个制作过程需要长时间加热和人工炒制，能量成本和人力成本都很高。所以，合格的肉松必然是高价商品。

在肉松的生产过程中，肉被进行了强度很高的加工，同时加入了大量的调味料，这就为以次充好、造假提供了机会。首先，从生肉到肉松，肉的结构发生了彻底的变化。只要是瘦肉，不管是来自优质生猪还是病死的母猪，都会变成几乎相同的结构，产生同样的质感。另一方面，加工中加入的大量酱油、糖以及其他调味料，足以覆盖肉本身的味道，而产生非常相似的味道。当有人以劣质甚至病猪肉生产出价格低廉的肉松，消费者无法鉴别而选择低价，就导致了某个地区整个市场的畸形——合格产品无法生存，而伪劣产品却大行其道。

除了使用劣质瘦肉外，在肉松中加入植物蛋白（如大豆粉）是一种典型的造假手法。其实，从食品科学的角度来说，在肉制品中加入植物蛋白，具有营养和成本方面的双重优势。在现代食品开发中，用植物蛋白代替肉类被认为是开发健康食品。这一做法的困难在于植物蛋白的味道、口感往往都比较差，被接受程度低。如果能在某种肉制品中加入大量的植物蛋白还能保持肉的口感、风味，就可以申请专利保护而成为独家产品了。在国外，这是每个食品公司梦寐以求的东西。不过这样的产品就不能当做本来的产品卖了，必须加以说明。就肉松而言，如果加入了大豆粉的产品能够以"假"乱真，那么它就会是一种营养价值比真正的肉松高，而价格却比真正的肉松低的产品。这样的产品完全可以打出自己的旗号走向市场。如果打着"肉松"的名义，被当做肉松来卖，就是欺骗消费者。毕竟，当消费者付出"肉松"的价格时，他们想买的是纯肉制作的肉松。而且，如果为了实现"逼真"的质感风味，而加入了其他非法的助剂，那就是一种犯罪行为。

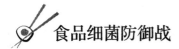

食品细菌防御战

我们都知道细菌无处不在，即使是我们认为洗得很"干净"的手上也沾满了细菌。虽然多数细菌是无害的，但是，正如飞机失事是概率很小的事件，但只要碰上一次我们就歇着了——无害甚至有益的细菌再多，也改变不了有害的细菌让我们寝食难安，甚至再也不用吃饭了的可怕后果。人们吃出问题的例子，只有一小部分跟细菌无关，比如河豚或者各种食物过敏，其他的绝大多数都是细菌惹的祸。

我们所吃的各种食物，不管是蔬菜、水果，还是肉、蛋、奶，都充满了细菌。绝大多数人喜欢吃的走地鸡、野味、农家肥种的菜、野生的鱼虾等，携带的细菌比大规模养殖的更难控制。通常的洗涤可以去掉一部分，但是对大多数细菌来说，任你风吹浪打，"我自岿然不动"，"星星之火，可以燎原"，在适当的条件下，用"春风吹又生"来形容细菌的繁殖，都显得过于保守。细菌的繁殖速度，不是"一生二，二生三"那么慢条斯理，而是一变二，二变四，四变八那样的几何速度。在适当的生长条件下，有的细菌半个小时就会增加一倍。换句话说，一个细菌在这样的条件下，二十四小时之后，就可以给全国人民每人分上二十几万个了。

当谈到食品安全的时候，许多人着眼于化肥、农药、转基因、防腐剂之类，且不说这些东西是否真的有害，即使有，也远比细菌要好监控。食物保存中的安全问题，远远比这些因素要难以控制，而且更容易产生危害。没怎么听说过因为化肥、农药、防腐剂或者转基因导致的问题，倒是有许许多多变质食品导致中毒乃至死人的例子。

食物中细菌的存在是一个动态的过程。用了农药的蔬菜，农药分解或者洗去了就不会再有。但是其中的细菌，今天可能还少，放两天却可能变得很多。细菌在食物上的存在取决于两个因素：一是菌种的来源，二是保存的条件。细菌的来源更多地取决于环境，卫生洁净的环境中较少，大规模科学种植养殖的食物原料中也较少。FDA 推荐人们食用农场养殖的鱼类，也是出于这种考虑。众所周知，经过高温处理的熟食中的细菌比原料中的少。就保存条件来说，低温不利于细菌生长，所以大家才会把食物放在冰箱中。但是哪怕是 -20℃的冷冻室，也不能杀死细菌，只是让它们消停一会儿。一旦给点温暖，它们照样又灿烂起来。一些顽强的细菌，在 4℃的冷藏室内照样生长。所以，冰箱也只能暂时保存食物，最安全的方案还是尽量加快流通，减少存货。高浓度的盐是抑制细菌生长的有效手段，千百年来，没有冰箱的祖先就是用这种方式保存某些食物的，比如腊肉、咸菜。

到目前为止，加热仍然是杀死细菌的最有效手段。一般来说，在 121℃下加热十五分钟以上，即使没有把细菌全部杀死，剩下的也成不了气候。但是许多食物要是加热到这种程度，就没法吃了。通常的食品加工，只是把细菌的量减少到一定浓度，不会对人产生危害就行了。比如说牛奶，所谓巴氏灭菌的"鲜奶"，是把牛奶加热到 72℃左右十五秒。经过这样的处理，细菌量会被减少到初始量的十万分之一，虽然还有不少，但是在冰箱里放两三周，细菌量不会生长到对人有害的地步。如果是超高温灭菌，则把牛奶加热到 135℃以上，一秒钟就可以杀死大多数的细菌，即使是放在常温下也能保证几个月没有问题。当然，这都是指密封保存的情况。如果对嘴喝一口，这些处理几乎就算白干了，其中的细菌生长速度会大大增加。其他的食物也是如此。

比如说鸡蛋，有些人喜欢吃那种蛋黄没有凝固的所谓"流黄蛋"。鸡蛋中的致病细菌在蛋黄没有凝固的温度下不会被杀死，所以，如果鸡蛋中含有较多的细菌，比如说满是鸡粪的鸡圈里的鸡蛋，"流黄蛋"就比较危险了。

无数的食品科学家和工程师花费了大量的时间，想要找到比加热更好的杀死细菌的方式。然而到目前为止，经济实惠并能够广泛使用的还是加热。中餐的原料生产过程有很多卫生问题，但是中餐的安全性问题却不严重，关键就在于中餐一般都是经过高温烹饪，现做现吃的。西方的蔬菜多数是生吃的，所以从种植、运输、保存到分销的各个环节，都要进行严格监控。否则，沙拉吃下去就开始拉肚子了。就安全性而言，速冻蔬菜甚至是更好的选择。我们难以监控原料中的细菌，但是可以把食物做熟，以此来保护自己。

对个人来说，注意食品安全和养成良好的卫生习惯非常重要。厨房和冰箱都是藏污纳垢的地方，经常性的清洁（比如用酒精、醋等清洁这些地方，都有不错的效果），并且保持通风干燥，有助于减少细菌的存在。那些存在的细菌，本来可能成为我们食物中的菌种。家里的食物，尽量减少存货，做饭做菜，也尽量吃多少做多少。因为减价而囤积大量原料，或者做一次饭吃上一两周，都会为细菌提供广阔的天空。尤其是很多特价的蔬菜、肉、蛋、奶、水果，特价的原因就是积压了很长时间，再买回家保存，简直就是考验自己对于细菌的抵抗力。

 聚 议 厅

崔略商：

《传染病学》教科书上"细菌性食物中毒"里提到，毒素性食物中毒是由于进食含有葡萄球菌、产气荚膜杆菌及肉毒杆菌等细菌毒素的食物所致。

比如，葡萄球菌"在乳类、肉类食物中极易繁殖，在剩菜剩饭中亦易生长，在30℃经一小时后即可产生耐热性很强的外毒素"，"此毒素对热的抵抗力很强，经加热煮沸三十分钟仍能致病"。

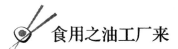

食用之油工厂来

通常所说的食用油，有来自动物的和来自植物的。植物油主要是不饱和脂肪酸，正常情况下是液体。动物油是饱和脂肪酸，正常条件下是固体。不饱和脂肪酸对健康更有利一些，而动物油中还伴随着较高浓度的胆固醇。西方人一般食用植物油，他们食用的动物油，一般就是奶油、黄油之类的牛奶制品。

很多植物的种子中都含有大量的油，因产量大、价格低而能够进入日常厨房的主要有大豆油、菜子油、玉米油和花生油等。植物油不含胆固醇，作为液体使用起来也方便，从环保的角度来说，对于阳光的利用率也要高得多。

以大豆为例，油在大豆中以一个个小油滴的形式存在，表面吸附着一层蛋白质，到了水中就成为一种极其稳定的乳浊液。传统上，把油从大豆中弄出来的办法是把大豆加热到一定温度，然后用外力"压"，从而把油给"榨"出来。这种方式比较没人性，所以"压榨"这个词用到人身上基本上是形容坏人的。这种提取油的方式简单易行，也不需要什么技术含量，对于小作坊来说是很适合的。

压榨的弊端也是显而易见的。一方面，无论用怎样高的压力，都有不少坚贞不屈的油绝不屈服，深深隐藏在大豆的固体组织里。像粮油这种社会需求极大的食品，出油率相差1%就是以亿为单位的效益；另一方面，植物油的优势主要来自于分子中的不饱和键，但是它们在压榨过程中产生的高温（远远高于大豆被加热的温度）下容易被氧化，而氧化正是油变质的原因。

现代工业上，普遍采用溶剂萃取的方法，也就是通常说的"浸出法"。简单说来，就是把去皮的大豆弄成小块，与某种化学溶剂（通常是正己烷）充分混合。大豆的固体组织对于油来说基本上是穷乡僻壤，而正己烷可以说是鱼米之乡加美女帅哥。面对如此诱惑，即使是那些在高压榨取中坚贞不屈的油分子们，也高高兴兴投降，投奔正己烷算了。把液体和固体分开之后，固体残渣中的油分子基本就只剩下几个柳下惠或者罗敷了。油分子们看到美女帅哥头脑一热，马上投怀送抱，还来不及与正己烷们交流感情，就被引到了挥发容器里。一进挥发容器，正己烷就原形毕露，不再理睬刚刚被招来的油分子们，直接飘然而去，再去搜罗下一批了。因为这个过程基本上是靠忽悠，正己烷的魅力值又很高，所以出油率很高而花费却低。整个过程也都是"温柔攻势"，也就避免了油分子们寻死觅活，氧化变质。

对于传统的榨油，尤其是小作坊来说，榨出油来就算大功告成了。对于现代工业来说，浸出油来只是一小步，更多的工夫是花在了油的后处理上。油分子被忽悠的时候，还带上了一些亲戚朋友，尤其是卵磷脂。对于这些上当受骗的油分子，人类毫不怜香惜玉。正己烷逃跑了，人类还要把卵磷脂之类的亲戚朋友也剔除干净。再经过几步分离纯化，最后就是卖到消费者手中清亮洁净的油了。

植物油中的双键是植物油的魅力所在，同时也是其弱点所在。营养品质越好的油，不饱和双键的含量越多，也就越不稳定。当我们闻到油有异味时，就表明双键被氧化了。氧化产物除了影响味道，其中很多成分是有害的。有人怕油涨价购买大量的油放起来，可能到头来得不偿失。这种氧化过程受温度影响很大，如果炒菜的时候冒烟了，就说明温度太高，或者油的品质不好，油开始变坏了。在油炸食品的过程中，油发生的化学变化比较复杂，一般来说，用的时间越长，稳定性就变得越差。如果炸的时间短，油没有冒烟，炸完之后还很清亮的话，说明基本没有变质，还是可以再用来炒菜的。

油的稳定性，除了纯度之外，主要由种类决定。相对来说，猪油和花生油更适合炸东西，但是猪油和花生油都比较贵，很多情况下大家可能还是用大豆油或者菜子油，如果油温不太高，也不反复用的话也还是可以用来炸东西的。

现在大家比较关注营养方面的问题。不说那些贵的油，就大豆油、菜子油、花生油和玉米油而言，我觉得大豆油比菜子油的性价比要好一些。北美培育出的canola是一种改良的油菜，canola油，就目前的研究结果看来有一些营养方面的优势。现在引进中国的也很多，有的翻译成"芥花籽油"。在北美市场，很多配方食品都用这种canola的油，其价格也跟大豆油差不多。

在中国市场，还有一大类油叫做"色拉油"，就是"salad oil"。在美国，很少把这个名称当做商品名字来用。这个词更多地出现在菜谱中，说要用"salad oil"，其实是指任何可以用来做沙拉的油，并不特指来自某种植物。相对来说，做沙拉的油要求清亮、透明、无色、无味等，对加工的要求要高一些。估计99%以上的中国人买的色拉油不是用来做沙拉的，即使是把沙拉当饭吃的美国人，通常也不做沙拉酱，而是买现成的。所以，"salad oil"这个词，在美国反倒用得不那么多。

为什么中国没有肯德基

这是一个问烂了的问题，它早已被社会学家、经济学家甚至历史学家讨论得够多了，所产生的大作即使不能汗牛充栋，估计也能累倒个把壮汉。像我这样一贯懒惰的人，对于社会问题从来没有考据的兴趣，基本就是管中窥豹，想到哪里说到哪里，权当闲谈而已。

在那篇《让拉面风靡美国》后面，网友"鹰城旧客"留下了这样一段话：

> 所谓的兰州拉面，在兰州叫"牛肉面"，许多兰州人的早餐就是一碗热腾腾的、放了辣子油的牛肉面，它是兰州最平民化的食品了。可是把它按现代企业方式来运作，确实令人感到别扭，就像放在五星级酒店的油条豆浆，失去了滋生它的土壤，就失去了原来的味道。
>
> 我们小时候吃牛肉面时所津津乐道的是，这家的汤味道好，那家的面很筋道，甚至谁家的辣子油香，谁家的醋味道很正……很难想象，没有了这些，牛肉面还是牛肉面吗？

这段话说得一点儿也没有错，这正是中国食品的特色。这种特色，造就了中餐在世界食品大家庭中的超然地位。以我的孤陋寡闻，认为至少有几十种中国食品比麦当劳、肯德基、DQ冰激凌、必胜客这样的世界品牌要"好吃"。但是，也正是中餐的这种特色，或者说中国传统文化思维在食品上的体现，导致了中国没有出现哪怕是一个品牌食品。当有些韩国人把"豆奶"卖到了日本，就豆浆的起源胡说八道的时候，中国人只是对于韩国人没有尊重祖先的"知识产权"而愤怒。其实，他们所卖的豆奶已经跟我们的豆浆相去甚远了。而闷声发大财的美国人，早就已经把他们的豆制品以"高级产品"的形势卖回了中国。只不过，他们从不通过对祖先的崇敬来获得心理满足，所以也就一直饱受着欢迎。

食物的本意是充饥的东西。在中国文化里，食物早就超越了这个意义。可以说，食物承载着很多食物之外的意义。比如，油条豆浆、小葱拌豆腐、拍黄瓜，被约定俗成地定义成了"平民食品"，很难想象，一个富豪请客会请客人吃这些食物。而鱼翅燕窝、珍禽异兽，就成了身份和地位的象征。我们会觉得豆浆油条在高级宾馆里显得格格不入，是因为宾馆的高级与这些食品的"平民化"形成了反差。而在西方社会里，食品就是食品，没有那么多的含义。在希尔顿的餐厅里，白水煮的豆角和切碎的青椒洋葱堂而皇之地摆在餐桌上。在很高档的饭店里，牛排之外上一整个烤好的土豆或者红薯也很平常。而蔬菜沙拉，完全没有感觉到比小葱拌豆腐或者拍黄瓜来得高贵。食物本来没有高低贵贱之分，吃的人要赋予它等级，它就有了等级。

中国的社会思维，对传统有着虔诚的固守。这种固守使得我们不愿意变化，从某种程度上说，甚至抗拒变化。豆浆是用手摇石磨做出来的地道，饺子得是手擀的皮，洗碗机总是不如手洗得干净，甚至是切菜，也是手工切的更精致。这种思维的结果，是我们总在宣扬、推崇着祖先留下来的制作菜肴的方式。而对于现代的机械化，甚至不愿意去尝试一下就本能地抗拒。就像家父，无论我怎么跟他讲用面包机和面又轻松又均匀，他总是坚信用手和的才好而拒绝去尝试哪怕一次。而对于西方人来说，在传统方法上取得哪怕一点点突破，都会沾沾自喜。他们迫切渴望使用任何的技术去改变传统，让事情变得简单。我曾经在一个美国农场里见到主人自己设计制造的一个榨苹果汁的机器，基本上也就是用电机代替了人力而已。主人很自豪，说一直在考虑是不是去申请一个专利。在西方的思维里，现代工艺对传统方式的取代，如果不能达到传统的效果，不是"取代"这个"战略"的错误，而是所用的技术这个"战术"的问题。

中餐的追求，历来是"食不厌精，脍不厌细"，对于"独特"的追求和"细微差别"的考究，正是食品成为艺术的根源。一千个主妇有一千种回锅肉的做法，而人们又津津乐道于这种差别。在这种文化思维下，人们对于标准化的东西，就有了一种反感甚至厌恶。而西方食品，人们追求的是简捷。他们并非不懂得享受中餐的丰富多彩，但是他们绝对不会花上大量的时间去烹饪，正如我的一个美国朋友所说："中国菜是很好吃，但是难以理解每顿饭总是要花上一个小时去做，然后用十五分钟把它们吃掉。"有一次在他家给他们演示怎么做中国菜，挑了很简单的几样：青椒肉丝、宫保肉丁、粉蒸排骨、素炒青菜，还有馄饨。为了不把他们看晕，我还用了平常不屑于用的调料包。他们两口子从头看到尾，后来说："好吃是好吃，就是太复杂了。"他们的日常食品，的确是比这些要简单的。即便是感恩节之类的"大餐"，在我看来也比中餐初学者的水平要低。这种对简捷的追求，催生了大量的配方食品，像卡夫、雀巢之类。肯德基的炸鸡、麦当劳的汉堡和薯条、星巴克的咖啡、哈根达斯的冰激凌等本身也是起源于民间，经过现代工业化的改造，也早已不是当初的炸鸡、汉堡、薯条、咖啡或者冰激凌了。但是，这个社会欢迎这种变化。这种变化使得这些东西变得更加"平民化"，甚至流浪汉要钱，也是说"能不能给我买一个汉堡"。美国中餐馆里的一份鱼香肉丝，可以买两份麦当劳或者肯德基的套餐，而且只需要等几分钟，人们很难抵挡这种方便。这些东西到了

雪碧+红酒→甜起泡葡萄酒

中国，之所以被改造成了小资和时尚的象征，除了对强势文化的追逐，也是因为"吃的人觉得它高贵，所以它就高贵"。

　　在文化和艺术层面上的食品，的确可以有不同的体系。中国食品的这种体系，排除了出现肯德基、麦当劳、星巴克、哈根达斯这些东西的可能。所以，如果我们坚守自己的体系，就不必对这些"洋货"当道而耿耿于怀。

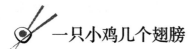 一只小鸡几个翅膀

如果拿这个题目去问小朋友，估计他们都能不假思索地给出正确答案。如果问的是"见多识广"的大人，可能就复杂了，大概有不少人会给出洋快餐那个"著名"的说法：一只鸡有六个翅膀四条腿，不吃饲料，只注射药物。网上盛传这是某个身份高贵的人士在美国某个"秘密基地"里"亲眼"看到的。

这个说法就像许多小学生写的科幻作文一样纯属虚构，只是因为满足了许多人的某种预设立场，所以流传很广，相信的人也不少。很多人会说：人家都说了是在"秘密基地"里生产的，你凭什么就断定是谣言呢？在这里，我们不妨较较真，来看看它为什么是谣言。

人类养殖出来供己食用的禽畜，对于人类而言实质上是一个个的加工厂：把人类不吃的植物原料，比如粗粮、秸秆、草料、油料残渣等转化成人类想吃的东西，比如肉、蛋、奶等。所有养殖业的技术，无论是育种、基因改造，还是饲料添加剂，都只是提高转化效率，而不能让动物凭空生长。如果有人真的"只喝水都长胖"的话，一定是全世界生物学家追逐的目标。再变态的生物技术，再高明的"生长激素"，都必须提供碳水化合物、蛋白质、脂肪以及各种微量元素才能长出肉来。如果真有只输液就能长出翅膀和腿的鸡，那么输的液体里面必然含有所有的营养成分。而且，这些营养成分必须非常纯净，不用消化就能直接吸收。想想不能进食的病人，输的液体是多少钱一瓶，

就知道即便是有靠输液就能长出来的鸡翅和鸡腿，那也一定比普通的鸡翅、鸡腿贵上不知多少倍。

在养殖业里，人们采用各种手段，都是希望动物长出更多值钱的部分。比如说瘦肉比肥肉贵，所以人们会培育瘦肉型的猪；而牛奶中的某些蛋白比较值钱，人们也可能希望奶牛分泌得更多些。对于鸡来说，至少在美国，鸡翅、鸡腿并不是鸡身上最值钱的部位。虽然说洋快餐经常以炸鸡翅、炸鸡腿闻名，但是切割之后的鸡最值钱的其实是鸡胸肉。洋快餐之所以炸鸡腿和鸡翅而不炸鸡胸，原因之一也是鸡翅、鸡腿更加便宜。换句话说，如果可以选择让鸡的哪部分长得更多的话，也应该是鸡胸而不是鸡腿或者鸡翅。

这个谣言还有一个关键之处是"秘密基地"在美国，而鸡腿、鸡翅生产出来是卖到中国等发展中国家的。鸡肉本来就是很廉价的肉，在美国市场上的价格比猪肉还低，比牛、羊肉就低得更多了。即便是真有这种"不可思议"的技术，也没有多大空间可降低生产成本。而动物制品的出口，必须经过冷藏运输，其成本会大大增加。即便在美国养鸡不要成本，运到中国之后也未必就比当地养出来的正常鸡便宜。

从技术角度来说，尽管转基因等生物技术在过去的几十年中取得了巨大的进展，但是生物技术并不是搭积木，人们还做不到想怎么折腾就怎么折腾。将来能否养出六只翅膀的鸡不好说（那也就不能叫做"鸡"了），至少现在还看不到希望。目前转基因技术在鸡身上的应用，最普遍的是增加鸡的抗病性。比如禽流感出现之后，研究机构纷纷致力于开发抗禽流感的鸡。另一普遍领域是通过转基因改善鸡的代谢体系，比如可以消化一些本来不能消化的饲料，从而提高饲料的利用率，或者改善肉或蛋的品质。另一个领域是把鸡当做"生物工厂"，来生产某些有药用价值的蛋白质或者其他分子。至于长六个翅膀四个鸡腿的鸡，估计只有钱多得不知道如何浪费，脑子里却又被灌了糨糊的人才会去开发。

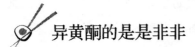 异黄酮的是是非非

异黄酮（isoflavone）是一类多酚化合物，在植物体内作为一种抗氧化剂存在，也具有雌激素的功能，主要存在于豆类植物中。在研究大豆蛋白是否具有保健功能的过程中，人们的目光很自然地瞄向了这种具有生物活性的小分子。

女性的更年期症状、更年期后的骨质疏松以及某些癌症如乳腺癌、子宫癌等与激素分泌有关，所以许多年来补充激素是减缓更年期症状的主要手段。因为激素疗法在医学上争议较大，其潜在的问题使得人们对于常规激素心存疑虑。动物实验显示异黄酮具有很强的生物活性，能够扩张冠状动脉，降低血液胆固醇，抑制更年期后的动脉硬化等。这些结果引发了人们美好的猜想：把这种植物雌激素浓缩分离出来，会不会带来巨大的福音？于是作为保健品甚至药品出现的异黄酮，一时风靡世界。它具有让人们放心使用的最大卖点——"纯天然的植物精华"——许多人会本能地相信：不管它的疗效如何，至少不会有毒副作用。然而，实际情况是怎样的呢？

大豆蛋白显示了一定的降低血液胆固醇的作用，而且低纯度的蛋白效果甚至更好。因为异黄酮在大豆蛋白的常规分离流程中并不能被去除，但是浓度会降低，人们很自然地猜想实际起作用的物质是不是异黄酮。为了验证这一猜想，许多研究机构检测了各种浓度的异黄酮对血液胆固醇的影响。从 1997 年到 2004 年间报道的十九项此类研究

中，只有三项研究显示了低密度蛋白胆固醇有统计学意义上的下降，其下降幅度在几个百分点的水平。如果把这十九项研究的结果汇总分析，结果则是没有下降。其他的血液指标，如高密度脂蛋白胆固醇、三酸甘油酯等，也没有受到异黄酮的影响。

这个结果让人失望，不过还不会太打击人们的信心。毕竟人们对于异黄酮的更多期望，还是在于它的雌激素活性。有少数研究显示了些许的作用，但是这些作用在六周之后就消失了，而其他的研究则根本没有显示出预想的作用。长期追踪的研究发现，服用异黄酮的实验组更年期症状减轻了40%～60%，但是不服用异黄酮的对照组也有同样的减轻幅度。与此对照的是，服用常规雌激素的那组人症状减轻幅度明显高于对照组。基于这些研究，可以认为异黄酮的雌激素作用并不能真正减轻更年期症状。雌激素的另一种作用是减少更年期后的骨质疏松。异黄酮具有这种功能的假设得到了一些人群调查和动物实验的支持。然而，目前的临床实验并没有足够的样本量和跟踪时间来得到可靠的结论。虽然报道的研究很多，但是结果迥异。对更年期后的猴子进行了三年的跟踪是目前对灵长类动物进行的最长时间的实验，其结果是异黄酮没有减缓骨质疏松的发生，而真正的雌激素却如预期的那样增加了骨中的矿物质含量和骨密度。这些结果对于异黄酮减缓更年期后骨质疏松症状的假设，既不能证实也不能否定，只能说还需要进一步进行大样本量、长时间的跟踪。不过可以推断，即使异黄酮有"设想"的作用，这种作用也会比较微弱。

异黄酮具有保健作用的最后一根救命稻草是与雌激素有关的癌症，乳腺癌和子宫癌，还有因其抗雄激素活性而可能有效的前列腺癌。最初的猜想是流行病学的调查，喜食豆类食品的亚洲人患这些癌症的概率比欧美人的低。一些动物实验和病例对照研究似乎也支持这一猜想。然而，临床实验的结果却令人沮丧：研究不少，却没有一致的结论，有些研究显示有效，别的研究却又显示无效。这个领域的重要综述认为流行病学调查的结果和病例对照研究结果都不足以证实异黄酮对于癌症具有正面的作用。

虽然最后一根稻草也成了空中楼阁，如果对于异黄酮的研究结果到此为止，倒也问题不大。按照许多人的想法，反正"天然的植物精华"不会有毒副作用，对于疗效则完全可以"宁可信其有"。科学研究让人郁闷的地方在于，本来是要证实异黄酮有正面作用，结果正面作用没有得到确认，却发现一堆可能的负面作用。比如有研究发现异黄酮会促进更年期后女性的上皮细胞增生，而该现象与癌症的发生有关。动物和细胞培养试验也发现了异黄酮诱发癌细胞的现象。2002年《美国科学院院报》上发表的一篇文章指出异黄酮能够损伤老鼠的乳腺和免疫系统。文章认为异黄酮含量较高的婴儿配方豆奶有可能损害婴儿的发育，而成人大量摄入异黄酮也可能有潜在危害。尽管还没有足够的研究确证这些潜在危害，目前用于婴儿配方豆奶的大豆蛋白还是都额外经过了一个去除异黄酮的步骤。2004年发表的一项观察时间长达五年的研究，发现一百五十四位更年期后服用异黄酮制剂的女性中有六人出现了子宫内膜增生，该症状是一种癌症前体，而不服用异黄酮制剂的对照组却没有一个人出现该症状。美国心脏协会（AHA）2006年发表的科学报告，在综述分析了近年来关于异黄酮保健治病功能的研究之后，基于所有的保健功能都没有可靠的数据支持，却又存在着可能的危害，"不推荐在食品或者药品中补充添加异黄酮"。

增稠剂为何存在

　　食品增稠剂给人的感觉并不好，尤其是对于追求天然的人来说，一个"增"字就仿佛做假了一样。不过，在现代食品尤其是饮料中，增稠剂却是不可或缺的成分。在这里，我们从为什么要用增稠剂谈起。

为什么要"增稠"

　　所谓增稠剂，是指加到水里能够大大增加黏度的物质。黏度是描述我们通常所说的"黏稠程度"的物理量。比如水的黏度很低，而油就要高得多，如果是糨糊，就非常黏了。许多食品，尤其是饮料，都是一些不可溶解的成分分散在水中形成的，比如果汁中有果肉残渣，牛奶中有脂肪颗粒，可可奶中有可可颗粒。这些不溶解的成分和水的密度不同，所以不能够在水中稳定存在。轻的会浮到水面，比如脂肪颗粒；重的会沉底，比如果肉残渣或者可可颗粒。但是我们希望这些饮料是均匀的，在食品技术上，就是要减缓不可溶成分的上升或者沉降的速度。不管是流体力学的理论计算还是食品研究中的实验结果，都证明这些物质的上浮或者沉降速度与液体的黏度成反比。也就是说，黏度越大，分层速度越慢。所以，增加水溶液的黏度，就成了增加食品稳定性的有效手段。

食品中的增稠剂都是什么

　　溶解到水中能够有效增加黏度的物质就被称做"增稠剂"。能够增稠的物质很多，但是允许用在食品中的却比较有限。淀粉尤其是改性淀粉是最常见的，其他常用的还有果胶、明胶、淀粉糊精、琼脂等。食品增稠剂的化学结构一般是多糖，其基本单元和组成方式与淀粉类似。通常它们来自于种子、海藻或者植物纤维素。现代食品中也有一些增稠剂是通过微生物发酵得到的，比如效果非常好的黄原胶。动物的皮或者骨头提取物也能作为不错的增稠剂，比如有名的阿胶，在食品工业上就只是一种增稠剂而已。

从食品增稠剂的化学成分和来源可以看出，它们与淀粉、油、蛋白质一样，都是一些取自动植物或者微生物的有用成分。不能说其来自于自然所以就是安全的，但是被批准使用于食品中的增稠剂都经过了许多的安全性检验。在人类目前的认识水平上，不会比大米、面粉带来更多的健康风险。不过，由于许多化工原料里的高分子聚合物也能起到非常有效的增稠作用，一些食品增稠剂的成分本身也是重要的化工原料，不法分子也就有了制造伪劣产品的机会。

使用增稠剂的例子

增稠剂并非现代食品工业中的新概念。在中国传统的食品中，也有大量增稠的做法。比如说著名的西湖牛肉羹，如果不使用淀粉增加汤的黏度，牛肉末就会沉到碗底。北方的许多汤（或者羹），也都有类似的操作。除了肉末或者菜叶漂在汤中看起来更美观以外，黏度高的汤也会有不同的口感。除了前面提到的果汁、可可奶、巧克力奶，还有一个常见的例子是酸奶。如果直接用牛奶做酸奶的话，酸奶会比较稀，就是通常说的液体酸奶。很多人喜欢半固体状态的酸奶，就是在其中加了更多的固体成分来增加稠度。使用不同的增稠剂及其组合，比如改性淀粉、玉米糖浆、果胶、纤维素、明胶等，就可以让酸奶产生不同的口感。

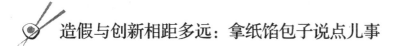
造假与创新相距多远：拿纸馅包子说点儿事

如果把用做猪饲料的东西加工之后放到肉里，会不会被认为是造假？如果用烤焦的大豆来做咖啡呢？还有，把该扔进垃圾堆的虾皮或者蟹壳做成食品原料呢？这些东西与纸馅包子的差距，有没有五十步与一百步那么远？

大豆分离油之后的残渣本来是用来喂猪、喂牛的，但是美国人分离出了蛋白，广泛用于肉或者饮料中，到现在蛋白本身甚至被传销公司打扮成了"神奇保健品"。用烤焦的大豆制作"咖啡替代品"，正在从民间走向学术，再走向工业。而虾皮、蟹壳加工出来的壳聚糖，在食品医药中找到了自己的位置，且正以"神奇保健品"的身份在中国已"露尖尖角"。所以，想用废纸箱来做包子馅，本身并不是什么冒天下之大不韪的事情。至少在美国，如果你能够完成下面的事情，你的纸馅包子没准也能成为一种新的食品原料。

首先，你得弄清楚这个纸馅里都含有什么东西。蛋白质、脂肪、碳水化合物这些主要成分，都各含什么种类，含量多少。少量成分，比如矿物质，也不能忽略。至于其他不常见的成分，没有目标的话很难查，但是你必须把纸箱从竹子或树木在开始的加工过程中可能遇到的化学原料一一理清，再检测清楚。这么一大套下来，你的纸馅里含有什么东西也就基本上清楚了。如果其中没有什么有毒有害的成分，那么恭喜你，你可以继续往下走。如果其中有一种或者几种成分有潜在的危险，那么就此打住，你就算是在人类探索食品新原料的道路上插了一块"此路不通"的牌子。

万一你的运气真是好——成分分析的结果指示还可以往前走，你就可以去折腾小动物了。老鼠大概是逃不脱，狗啊猪啊猴子啊什么的也可以。弄点纸馅包子喂它们，看看结果如何。不过，不是说要喂死了或者得了结石这样的严重后果才是问题，你得做许多表面上看起来没有问题的检测。这些纸馅在肚子里存留多久，消化了多少是最起码的检测。这些操作，除了费钱以外，真正做起来都是很常规的事情。所以，即使你干不了，只要拍出足够的钱，一定会有成群的教授排着队来做。如果这些实验发现纸馅在肚子里既不消化，也不容易排出——就像当年的"观音土"一样，那么你可以省下大量的钱，直接插"此路不通"的牌子了。

如果消化没问题，或者没有消化的部分能够正常排出，那么，你就可以继续拍出钱来往前走。消化之后变成了什么，在体内代谢的过程如何也得弄清楚。这个做起来就更花钱了，但是没有足够的证据，FDA 的官老爷们不会批准你拿人来做试验的。至于要有多少研究结果才算"足够"，那是官老爷们组织的一群专家做的决定。对中国人来说，比较郁闷的一点是，那些专家要在他们的鉴定结论上签字画押，发誓跟你没有任何关系。如果被人发现你请哪个专家到某个旅游胜地"研讨"过，或者哪个专家的老婆在买你的某种东西时拿到了普通人拿不到的优惠，甚至某个专家的孩子在学校里得了一项你提供的奖学金，都会成为那个专家"不独立"的指控。那些专家们也因此很爱惜自己的声誉和形象，一个个油盐不进，你很难搞点儿糖衣炮弹或者金钱美女去公关。

如果你闯关成功，官老爷们认为你提交的证据"足够"，就可以批准你拿人做实验了。不过，不是说批准了你就高枕无忧了。在商业社会中，总有人因为卖纸馅包子受到影响，也有政府资助的研究可能对你不依不饶，你得时刻拿一只眼睛来"防守"。如果哪天有人发表一项研究报告，说你的纸馅在体内会导致某种以前没有注意到的不良后果，你就得站出来为自己辩护，或者说人家的实验有问题，证明不了结论，或者人家的研究没有代表性等。如果官老爷组织的专家认为你在胡扯，那么就会撤销以前的批准。在食品管理上，是"一票否决"的。无论你有多少研究证明你的东西好上了天，只要有其他人的研究证明你的东西确实有某方面的问题，你也就只好去贴"此路不通"的牌子了。

　　总之，如果你获得了官老爷的批准可以拿人来试了，你就可以弄点儿志愿者吃你的纸馅包子，看看有没有不良后果。获得主管部门批准可以把它给人吃是研发路上的阶段性胜利。但是你自己在行动，你的竞争对手和独立研究机构也在行动。又是各种各样的研究检测，总之，是把人们能想到的可能危害都检测若干遍。如果竞争对手悻悻而去，独立研究支持你的结论，那么，基本上你就距离成功不远了。

　　呈上你的研究结论以及公开发表的相关研究，提请官老爷们批准你的纸馅可以用在食品中。官老爷们再来一遍专家审核，等到你的耐心都快磨没了的时候，官老爷们的批准意见才姗姗来迟。

　　当然，在这段时间里，你也可以干点儿别的。比如说，这东西能吃是一回事，消费者愿不愿意吃是另一回事。你得把包子做得好吃，而且得在告诉别人你这是纸馅包子的前提下别人愿意吃才行。即使官老爷们批准了你的纸馅可以当做食品原料，如果你当做肉馅来卖而不告诉顾客，也是欺骗，最后也会是吃不下，兜着也走不了。

　　这么一通折腾，一二十年也就过去了。如果你的那块"此路不通"的牌子始终没有用上，那么你就可以等着数钱了。即使是别人也可以做出同样的纸馅来，官老爷们也会禁止他们销售而让你卖独家。但是，如果你不幸在最后一两步才用上"此路不通"的牌子，那么你所有的投资就都只能算是为人类社会的进步而作的贡献了。

直接生产纸馅包子，那是造假；经过了这么一番折腾还能够生产纸馅包子，那就是创新。造假是穷凶极恶；而创新，则是有钱人的投资。就像赌博，一面是海水，一面是火焰。成功了，会数钱数到手抽筋；而失败了，就只能顾影自怜。

 聚 议 厅

卡子：

以科学的态度和方法来做事，普通小事也是可以做成大事的。"急功"永远只能得蝇头小利，甚至还得不偿失。

The Truth of Food

第四章　偏见皆可抛

关于微波炉的那些传言

在所有的家用电器中，人们疑虑最多的大概是微波炉。"微波"、"辐射"这样的词总能引起许多人的恐慌，关于微波炉的"可怕"传说也就往往得到格外的关注。在这个"闻癌色变"的年代，"微波炉加热产生致癌物"更是在一遍又一遍的重复中成为广泛接受的"信念"。本文从微波炉为什么能加热食物入手，来介绍微波炉的特点，并解析关于微波炉的一些传言。

微波炉为什么能加热食物

让我们从水说起。水分子是由一个氧原子和两个氢原子构成的，氧原子对电子的吸引力很强，所以水分子中的电子比较集中在氧原子那一端，相应的氢原子那端就少一些。整体来看，水分子的一端带着正电，另一端带着负电。在化学上，这样的分子被叫做极性分子。

在通常的水里，水分子是杂乱无章地排列的，正电、负电冲哪个方向的都有。当水处在电场中的时候，正电的那头就会转向电场的负极，而带负电那头会转向电场的正极——所谓的"异性相吸，同性相斥"。

如果是一个静止的电场，水分子们排好队也就安静下来了。如果电场在不停地转，那么水分子就会跟着转，试图和电场保持一顺儿的队形。如果电场转得很快，那么水分子们也就转得很快——摩擦生热，水的温度就升高了。

电磁波就相当于这样一种旋转的电场。用在微波炉上的电磁波每秒钟要转二十几亿圈，水分子们以这样的速度跟着转，自然也就"浑身发热"，温度在短时间内就急剧升高了。一旦微波停止，旋转电场消失，水分子们也就安静下来，它们的世界也恢复清净了。在这个过程中，水分子本身并没有被微波改变。

不仅是水，其他极性分子也都可以被微波加热。通常的食物中都含有水和其他极性分子，所以在微波的作用下可以被迅速加热。而非极性的分子，比如空气，以及某些容器，就不会被加热。我们平常热完食物后觉得容器也热了，往往是被高温的食物给"烫"热的。

微波加热，致癌吗

因为微波是一种辐射，所以许多人自然而然地认为它会致癌。微波是一种电磁波，跟收音机、电报所用的电波、红外线以及可见光本质上是同样的东西。它们的差别只在于频率的不同。微波的频率比电波高，比红外线和可见光低。电波和可见光不会致癌，自然也就不难理解频率介于它们之间的微波也不会致癌。其实，这里所说的"辐射"，只是指微波的能量可以发射出去，跟 X 光以及放射性同位素产生的辐射是不一样的。X 光虽然也是电磁波，但是其频率比微波高得太多，因而能量也高，而放射性同位素在衰变过程中会放射出粒子，所以它们能让生物体产生癌变。

微波不会致癌，也不会让食物产生致癌物质。甚至，它还有助于避免致癌物的产生。对于鱼、肉等食物来说，传统的加热方式，尤其是烧、烤、炸等容易导致肉变焦，从而产生一些致癌物。2004 年发表的一篇科学综述介绍了这类致癌物的产生以及致癌性，最后指出：用微波炉加热可以有效降低这类致癌物的产生。

微波炉，安全吗

太阳光是比微波更高能的电磁波。太阳光，安全吗？

微波的安全性跟太阳光一样——是否伤害人体取决于能量的强弱。和煦的阳光让人舒爽，烈日暴晒则可以造成严重的皮肤灼伤。微波也是如此——既然能够加热食物，自然也能加热人体。问题的关键在于：到达人体的微波还有多少能量？

科学家们已经为我们做了大量的研究，找到了对人体产生伤害的最小微波功率。完好的微波炉，泄漏的微波功率距离伤害人体的强度还很遥远——美国的规定是，在距离微波炉大约 5 厘米的地方，每平方厘米的功率不超过 5 毫瓦；而我国的标准更加严格，是 1 毫瓦。而且，微波的能量是按照距离的平方减弱的。也就是说，如果 5 厘米处是 1 毫瓦，50 厘米处就降低到了 1% 毫瓦，更是"人畜无害"了。

所以，只要是合格的微波炉产品，使用中没有被损坏，就不会泄漏出能够伤害人体的微波来。

微波炉使用中的另一个安全疑虑是塑料容器释放的有害物质。的确，有些塑料在受热的时候可能会释放出一些有害的成分来。FDA 测定了各种塑料容器在正常的微波炉中加热时可能释放到食物中的有害物质的量，要求这个量低于动物实验确定的有害剂量的 1% 甚至1‰，才可以标注为"可微波加热"。所以，那些合格的"可微波加热"的塑料容器是相当安全的。当然，如果还是不放心，或者不相信厂家的标注名副其实，使用陶瓷或者玻璃容器也就心安了。

微波安全事故从何而来

煎炒烹炸涮，这些传统的加热方式安不安全？至少，因为做饭，有人被烫伤了，有地方着火了……

氯

臭氧杀菌

溴酸盐　　　漂白粉

FDA 说，他们接到了许多因为使用微波炉而"受伤"的报告。不过，这些"事故"都跟微波炉本身无关，而是使用不当造成的。以下是最常见的两类事故：

液体过热。传统烧水的时候水会流动，到了沸点就"开"了。而微波加热时水不流动，只是温度升高，有可能超过了沸点还"不开"。但是这个时候的水温度已经非常高了，只要有一点儿扰动，就会猛烈沸腾。如果这个扰动是你去拿水的时候产生的，那么就会被烫得比被开水烫得还厉害。越干净的容器，越干净的水，就越容易发生这样的事故。所以，为了安全，最好不要"以身试法"。其他的液体，比如牛奶、汤等，因为其中有别的成分，不容易过热，但是长时间加热也很容易"暴沸"而冲出容器。并不是说不能用微波炉来加热这些食物，而是说要算好加热时间。

鸡蛋爆炸。微波炉不能加热鸡蛋，大概是一个常识了。鸡蛋爆炸的原因有点类似于水的暴沸。鸡蛋内部过热，压力很大，一旦受到外界干扰，压力便会释放出来，于是鸡蛋就爆炸了。如果爆炸发生在鸡蛋进嘴的时候，大概就相当于在嘴里放鞭炮了。

微波炉，能否替代传统加热

微波炉非常方便快捷，但是对于烹饪而言，它有着先天的不足。所以，尽管出现了许多所谓的微波炉食谱，微波炉依然只是厨房的一个好帮手，而难以占据烹饪的主导地位。

许多食物的风味是把食物加热到相当高的温度才产生的，比如爆炒、煎炸、烘烤等。在高温下，蛋白质与糖发生反应，碳水化合物变黄，一些香味物质分解出来……这些是美味的来源，也是通常所说的"火候"关键。这在传统的微波炉中是无法实现的。一些新开发的高档微波炉，增加了热量对流和红外加热的功能，也能够实现一些传统烹饪的需求，不过，价格自然也就很贵了。

微波炉加热的优势在于能够很快地把食物加热，所以擅长的是把已经做熟的食物很方便地再次变热。这样的加热一般不足以杀死细菌，对于保存时间过长、有可能变坏的食物来说，微波炉加热就不能保障安全了。

微波炉加热食物最大的问题在于受热不均。微波炉不加热空气，直接加热食物，这是它的能源效率高的原因。但是它并不是像许多人认为的那样从内向外加热——它也是从外向里加热的。只不过与传统的加热方式相比，微波的穿透力强一些，能够直接加热到几厘米深的地方。而传统的加热是从表面逐渐向内，外层的温度永远比里面的高。因为微波能达到的地方升温很快，不能穿透的地方升温慢，所以内外的温度差别可能会非常大，这在化冻食物的时候尤其明显。因为液态的水在吸收微波能量上远远比冰要高效，所以外层最先化开的部分进一步高效地加热，而内层只能依靠外面被加热部分的热量慢慢往里传。如果用微波炉的常规加热功能来化冻的话，可能外层的已经熟了但是里面的却还冰冻着。在多数的微波炉里，有专门的"化冻功能"——对传统的微波炉来说，实际上就是加热一下，停一下，让外层的热量有时间往里传。

总的来说，关于微波炉"致癌"、"产生有害物质"的说法都是谣传。虽然微波炉很难帮助我们做出很美味的食物，但是它所带来的方便快捷，是它的巨大优势。对于老人和小孩来说，用微波炉来热菜热饭，要比电炉或者煤气灶安全多了。

红酒加雪碧好吗

通常说的红酒是指红葡萄酒。就主要化学成分而言，红葡萄酒、白葡萄酒和其他果酒并没有太大的差别。在说红酒加雪碧的"时髦喝法"之前，我们先从食品科学的角度说说葡萄酒。

葡萄酒是一种世界性的饮料，各种各样的葡萄酒数不胜数，但是葡萄酒的制造过程却大同小异。把收集来的葡萄去梗、压榨，就得到葡萄汁，葡萄汁发酵就得到了葡萄酒。世界通行的方法是葡萄酒在酿造过程中是不能加水的。我国以前有"半汁葡萄酒"的说法，可以在发酵之前往葡萄汁里加水和其他材料。不过后来，国家取消了这类产品的生产许可，也算是与国际接轨了。

葡萄汁里含有大量的糖，经过发酵转化成酒精。一般而言，葡萄酒中有百分之十几的酒精。葡萄酒的颜色来源于葡萄皮中的色素，在发酵过程中色素会进到葡萄酒中。所以，葡萄皮的颜色以及在哪个发酵阶段去除葡萄汁中的残渣，就决定了葡萄酒的颜色。另外，葡萄皮和葡萄籽中有一种叫做单宁的物质，是葡萄酒中干涩口感的来源。我们觉得没有成熟的水果青涩，涩也是来自于其中的单宁。皮和籽的发酵时间越长，色素和单宁进入酒中的就越多，酒也就越红、越涩。所以，一般红酒要更涩一些。除了这些主要成分，葡萄酒中含有几百上千种微量成分。葡萄的品种、产地、生长状况、收获时机、压榨条件、发酵过程、保存情况等，都会影响这些成分的组成，也就造就了千姿百态的葡萄酒。

葡萄汁中的糖并不能全部转化成酒精，残余的糖是影响葡萄酒口味的主要因素。通常所说的"干"、"甜"就是取决于其中的含糖量。按照国家标准，含糖量不超过 0.4% 的叫做干葡萄酒，比如通常所说的干红就是指含糖量低的红葡萄酒。如果含糖量大于 5%，就叫甜葡萄酒。介于二者之间还有"半干"和"半甜"的。但是，人们感受到的甜度并不仅仅由糖浓度决定，还受到其他成分的影响。比如说，同样糖浓度的酒，酸度高的就更"干"一些；而酒精含量高的就更"甜"一些。其他的成分，比如单宁含量或者酒中的二氧化碳，也会影响到"干"、"甜"的感觉。

葡萄酒在发酵过程中会产生二氧化碳，但是这些二氧化碳会溢出葡萄酒，最后得到的酒中二氧化碳含量很少，被称为平静葡萄酒。如果把初次发酵得到的葡萄原酒在密闭容器中进行二次发酵，酒中就会留下大量的二氧化碳。二氧化碳含量足够高的话(国家标准是20℃下酒中的二氧化碳分压达到 0.35 兆帕)，就称为起泡葡萄酒。如果发酵产生的二氧化碳不够，人工充入二氧化碳使之达到压力要求，就叫做加气起泡葡萄酒。

因为红酒尤其是干红，含有的单宁比较高，糖又少，并不是每个人都喜欢。而雪碧是一种高糖碳酸饮料，它的主要成分是玉米糖浆和柠檬酸。把雪碧加到红酒里，结果是降低了酒精含量、单宁含量，提高了糖含量，增加了二氧化碳含量。简而言之，就是破坏红酒的本来味道，让它向甜起泡葡萄酒的方向靠近。

有人关注兑进雪碧的红酒会不会影响红酒的保健作用。到目前为止，有许多关于葡萄酒有益心血管的研究报道。一方面，多数报道是基于流行病学的调查，就是说统计某个地区喝和不喝葡萄酒的人群的心血管病发病情况，发现喝酒但是适量的人发病率更低一些。一般来说，这样的研究并不能作为可靠的证据来支持结论。因为对于被统计的两类人来说，完全可能在其他方面还有差异，比如生活方式、收入水平、医疗保健措施甚至是不是喜欢喝酒的基因因素。喝酒与发病率低是因果关系还是只是相互关联在一起，并不能通过这种统计研究来确认。另一方面，葡萄酒中含有一些抗氧化剂如类黄酮物质，也可能对心血管有好处。但是这些好处跟摄入量有关，大量摄入酒精显然有害健康。就那些抗氧化物质而言，许多蔬菜水果中都含有。所以，美国心脏协会不推荐通过喝酒来获得那些保健作用。而所说的少量饮酒，对于葡萄酒而言，是指男性每天不超过 8 盎司，女性不超过 4 盎司（1 盎司大约 28 毫升）。

喝葡萄酒，更多的是一种感官享受，或者说是一种文化。加不加雪碧，对于它的保健作用都不会有太多的影响。如果觉得加了好喝的话，就加吧。

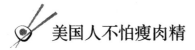 美国人不怕瘦肉精

　　2007年猪肉价格疯长的时候，要进口美国猪肉的消息吸引了颇多目光。后来又说从美国猪肉中检测出了瘦肉精成分，于是"阴谋论"者们孜孜不倦地阐发了许多中美经济斗争的"内幕"。无论如何，最后，美国猪肉没有在中国掀起什么风浪。相对于韩国牛肉进口和台湾猪肉进口，可说是斜风细雨，很快就风平浪静了。

　　其实在美国猪肉中检测出"瘦肉精"成分，实在不值得惊奇，大概也谈不上什么报复中国。"瘦肉精"在中国是千夫所指，主管部门也响应民意立法禁止，于是人民大众在法律条文上受到了良好的保护。尽管如此，还是时不时有非法使用"瘦肉精"，甚至导致消费者中毒的报道。但是在美国，"瘦肉精"却可以堂而皇之地使用，除了一小部分习惯性反对者外，广大的人民群众安之若素。难道美国人的身体构造跟我们的不一样，他们不怕"瘦肉精"吗？

　　实际上并没有一种具体的物质叫做"瘦肉精"，就像没有一种具体的东西叫做"糖替代品"一样。任何能够替代糖产生甜味的东西就被称为"糖替代品"，不同的糖替代品之间存在着巨大的差异。任何能够抑制动物脂肪生成，促进瘦肉生长的东西都可以称为"瘦肉精"。目前已经知道的"瘦肉精"有很多种，大多数的确对人体有害，所以在世界上几乎所有国家都被禁止使用。比如说造成过上海几百人中毒的克伦特罗（Clenbuterol），就是典型的一种。

一般认为美国的 FDA 对于食品药品有着极其严格的管理。尽管很多中国人对 FDA 也并不信任，但是在美国甚至美国之外的许多国家，它还是有着极高的权威性。即使是那些习惯性反对 FDA 的 NGO（非政府组织）们，也只是致力于改变 FDA 的某项决定，而不得不尊重它的权威。就这么一个多数人认为靠谱儿的机构，为什么允许"瘦肉精"的使用呢？

FDA 对于食品成分的一般管理思路是：如果一种成分没有已知的好处，那么对它的判决不需要"罪证确凿"，"莫须有"就足够了——当然很多被定罪的多少还是有些罪证的，比如反式不饱和脂肪酸；如果有明确的好处，就找出它的安全用量，比如说各种维生素、矿物质等；如果找不出安全用量，也就只好"挥泪斩马谡"，一禁了之了，上面所说的克伦特罗就是这种情况。

"瘦肉精"的好处是显而易见的，大大减少脂肪的生成，大大加快瘦肉的生长，而且明显缩短猪的生长期（简直是儿时的梦想啊）。所以，挥泪斩掉了一个又一个，科学家们还是孜孜不倦地寻找下一个。莱克多巴胺（Ractopamine）的出现让人们看到了曙光。用一句"研究表明"来总结人们对于莱克多巴胺的研究有点不负责任，不过仅是 FDA 或者 WHO 的报告就让人头昏眼花。那些研究实在很枯燥，这里就简单说说都做了些什么吧。

研究毒性自然是从折腾老鼠开始，然后是狗、猪、猴子等。首先，检测它在动物体内的吸收排泄情况，让动物们吃进不同的量，然后检测排泄物中排出来的量，发现这种东西不在体内积累，排出的时间很短。换句话说，如果有毒性，也不会积累。其次，跟踪在体内的代谢情况，利用同位素追踪，这个东西到了体内之后变成了什么、到了哪里。然后是各种致病情况的研究。喂给动物们不同的量，检测短期和长期的健康状况，最后，找出一个安全用量。当然，这些研究是基于动物的，在人体中是否如此还很难说。有六位勇敢的志愿者参与了实验，证实莱克多巴胺在人体中的代谢情况跟动物的一致。基于此，科学家们认为用动物实验的结果来推测其在人体中的表现还是合理的。这六位志愿者还接受了不同的用量，来考察对身体状况的影响。在每公斤体重的用量不超过 67 微克的情况下，没有观察到对人体有不良影响。把这个量除以一个 50 作为"安全系数"，FDA 认为每天可接受的摄入量是每公斤体重 1.25 微克。据此，他们规定牛肉和猪肉中允许的莱克多巴胺残留量分别是 30ppb 和 50ppb（ppb 是十亿分之一）。在这个残留量下，一个五十公斤的人每天吃上两斤半猪肉或者四斤牛肉都还是很安全的。加拿大和 WHO 的标准稍高一些，猪肉中允许的残留量是 40ppb，而联合国粮农组织则是 10ppb。日本和新西兰比较有趣，本国的生产不允许使用，但是进口猪肉允许 10ppb 的残留量。总的来说，还是只有少数国家允许使用，包括中国在内的绝大多数国家是禁用的。

莱克多巴胺或者别的动物生长添加剂，禁用与否应该是一个技术问题。对于毒性研究的设计是否合理，推理是否严密，安全系数是否足够大，以及决策是否有足够的科学支持，人们完全可以提出质疑。但是，如果仅仅是因为祖先没有用过就拒绝接受，或者认为改变了动物"天然"的生长方式就反对，跟一百多年前的人们对于汽车的恐慌并无区别。

 聚 议 厅

Pbmn：

不要迷信 FDA。它的不少决定是错误的。比如批准给奶牛注射 bGH 激素，因为他们认为由于注射 bGH 而产生的致癌物 IGF-1 会完全在体内降解为氨基酸。但事实上，他们的实验数据证明的恰恰是 IGF-1 不能被完全降解。

214

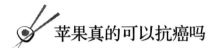

苹果真的可以抗癌吗

2009 年 3 月 1 日的《新京报·新知周刊》刊登了一篇题为《苹果可抗癌，苹果可救命》的文章，介绍了美国康奈尔大学一位教授最近发表的动物实验，证明"苹果可抗癌"，最后认为"苹果和苹果皮将会真正成为挽救人性命的宝贝"。客观地说，那项研究结果发表在专业期刊上没有什么问题，但是作为一个"结论"向公众推荐就非常草率，甚至很容易误导他们。

首先，这只是一项动物实验。在食品领域，如果动物实验证明一种成分能够致癌，那么就足以判处这种成分"死刑"。但是要证明一种食物成分有助健康，动物实验只是非常初步的结论。要想把它作为一个结论向公众推荐，至少还需要临床试验和统计数据，得出吃多少的量能有多大的效果，以及这个量对于人体健康有没有别的负面作用等等。许多食品成分的研究进行了几十年，类似这样在动物身上有效的结果比比皆是，甚至临床试验的结果也不少，但是依然不能得到学术界以及主管部门的认可。2001 年，欧洲有个公司生产了一种叫做"RED NOSE"的饮料。那种饮料的主要成分是葛根和菊花，作用是解酒，他们申请在美国上市的产品包装上印上解酒功能的标注。这项"功能"的证据一是类似的东西被中国人用来解酒有很悠久的历史，二是哈佛大学等研究机构发表的一些相关的实验结果，甚至还提供了一些机理方面的解释。FDA 的回复否决了这项申请，理由是："解酒"

是一种治疗作用，如果要宣称有这项功能，那么需要按照药品来对待，从而需要通过药物申请程序。而药物申请程序，就需要大量的实验数据来评估剂量、安全性、有效性等。哈佛等机构发表的那些研究结果还远远不够。如果比较"苹果可抗癌"的这篇文章，可以看出其证据比葛根解酒的更为初步。

苹果是一种食物，不管是国外的还是中国的法律，都不允许宣传食品具有"诊断、治疗、预防"疾病的功能。现代科学早已经证实，蔬菜水果对于人体健康有很大的益处。这种益处发生的前提是食谱中的蔬菜水果占较大比重，而不是指望某种"神奇"的品种。各种蔬菜水果各不相同，它们带给人体的营养成分也各不相同，但是人体需要所有这些不同的益处。跟药品不同，人们每天所吃的食物总量是有限的，这种吃得多了，那种必然吃得少。比如在苹果抗癌这个例子中，如果真的有人每天吃六个苹果去获得"较强的抗癌效果"，就必然要减少别的食物摄取量。而其他那些食物带来的益处必然减弱，对整体健康而言，这样过于单一的食品可能是不利的。现在的食品科学研究在评估某种食物对健康的影响时，已经不怎么依赖于这种对照实验，而是要进一步评估这种食物的引入对整个食谱的影响。

我们经常看到"保健品"或者"功能食品"说"有科学研究表明……"，甚至列出一长串发表在科学期刊上的论文。这样的宣传再加上一些媒体随意地夸大解读这些论文，经常能把一般公众唬住。自然的真相就像一头大象，在它面前人类都是盲人。科学研究的结果，就是盲人摸象的记录。哪怕每个人的记录都是真实的，也不能依靠几条记录画出大象来。只有经过许多许多的人，从不同的角度来摸、来记录，然后把所有人的记录汇总起来，才有可能画出足够逼真的大象。

再举一个例子，很多人都听过绿茶防癌的说法。在科学研究期刊上，也确实能够找到有关这方面的大量研究。2004年，有人向FDA申请这样的认证："每天饮用四十盎司的绿茶可以减轻一些癌症的发生风险。虽然有科学证据支持，但是这些证据还不够完善。"他们提交了各种学术期刊上的大量研究论文来支持"绿茶防癌"。在许多人看来，那些论文已经足够"权威"、足够"大量"来证明第一句话了，但是申请者还是加上了引号里的第二句话以示谨慎。FDA 在审查了所有的这些证据之后，结论是只有非常有限的可信证据支持绿茶对于乳腺癌和前列腺癌有一定的预防作用，而证明绿茶对其他癌症也有预防作用的证据都不够可靠。所以，FDA 最后同意厂家可以使用的表述是"一项微弱并且有限的研究没有显示喝绿茶能降低前列腺癌的发生风险，但是另一项微弱并且有限的研究显示能够降低这一风险。基于这些研究，FDA 认为绿茶不大可能降低前列腺癌的发生风险"。对于乳腺癌的表述也大致如此。如果厂家改变上述完整表述的意思，或者选择性地使用"科学研究"来推销产品，那么就会受到 FDA 的追究。同时，FDA 也指出，这些决定是基于已有的科学证据，如果有了新的科学证据，可以重新审查，改变 FDA 的认证。

如果把"苹果抗癌"的研究与"绿茶防癌"的相比，几乎可以忽略不计。我们还可以注意到，"苹果抗癌"的研究是苹果协会资助的。虽然结果发表在了正规的学术期刊上，可是如果他们要用其结论来帮助推销苹果的话，也会吃不了兜着走。

 聚 议 厅

李清晨：

美国癌症研究所与世界癌症研究基金会研究会邀集了来自八个国家的十五名著名营养学、流行病学和肿瘤学专家组成国际专家小组，对1982年以来公开发表的四千五百多篇文献进行了分析，并撰写了名为《食物、营养与癌症预防》的专题报告。该专题报告指出，合理膳食、经常运动和保持正常体重会使全世界癌症病例减少 30% ~ 40%。膳食对患胃癌、结肠癌的危险影响很大，而对其他部位癌症的危险影响甚小。但是，膳食、体力活动和体重似乎对二十种不同类型癌症的危险都具有明显的影响。

婴幼儿咳嗽药：被"一棒子打死"的传统

如果你家宝宝感冒了，咳嗽了，并且很严重，睡着了都能被咳醒，你会怎么办？送医院，儿医听了听胸音说："肺没事，咳嗽没有什么有效的办法，可能还得咳一两周，回家等等再说吧。"估计我们绝大多数的父母会大骂庸医，然后换家医院。

换了个医生，他说："这太严重了，得赶紧治，不然恶化成肺炎（或者其他恐怖的病）就麻烦了……"于是做了一堆检查，开了一堆药。焦急的家长花了一大笔钱，拿了一厚摞报告，吃了一堆药，孩子的咳嗽缓解了；再吃几天药，好了。于是，大家交口称赞："好医生啊，手到病除。"

或者，门口的药店里有琳琅满目的"宝宝专用"，天然的、合成的、国产的、进口的、传统的、新出的，乱药渐欲迷人眼，高价方能显爱心，买些回去吃吧。吃几次，宝宝好多了，于是骂骂医院的黑心，自夸一下自己的"明智"，再把"经验"扬扬得意地告诉亲朋好友。

根据人们的经验，感冒咳嗽的宝宝吃了药"确实好多了"，而多年的使用也使得人们不去怀疑这些药物的安全性。即便是学术界质疑不断，还是有许多家长相信自己的"经验"。美国国家公共广播电台（NPR）和哈佛公共健康学院等机构进行的一项调查显示，有58%的家长相信这些药物是安全的，而有62%的家长宣称得到了儿医的推荐。

然而，药物研究者们不断对这些婴幼儿感冒咳嗽药物提出有效性和安全性的质疑。要证明一种药物是否真正有效，需要进行随机双盲实验。简单来说，就是找许多症状类似的病人，一些人给药，另一些人给外表味道跟药一样但是不含有药物的东西(叫做"安慰剂")。病人和给药的人都不知道给的是药还是安慰剂，只有设计实验的人知道。最后比较服药和服安慰剂的两组病人的平均症状变化。只有服药的那组病人(称为"实验组")明显好于服安慰剂的那组(称为"对照组")，才能认为药物有效。对于婴幼儿的咳嗽药，许多机构进行了大量的类似实验，结果是：服用药物的病人症状会减轻，但是服用安慰剂或者不服药的病人症状也会减轻，而且服药的并不比不服药的减轻得多。FDA 审查汇总了这类研究，认定没有可靠的证据能够说明婴幼儿的咳嗽药真正有效。另一方面，却有很多副作用的报道。在 2005 年，美国疾病中心收到了大约 1500 个婴幼儿服用感冒咳嗽药之后被送往急诊室的病例。更为严重的是，有十几起与这些药物有关的死亡病例。经过严肃的调查，确认有三起是服用咳嗽药导致的。

这下子事情可就大了。有没有用不好说，却可能产生严重后果。原来人们使用多年，"经验"认为有效安全的东西也不是那么回事。2007 年 8 月，FDA 宣布将组织专家讨论这个问题。公众还没有反应过来，医药公司却已经作出反应。2007 年 10 月，美国几家大医药公司停止销售针对婴幼儿的感冒和咳嗽药。三个月之后，也就是 2008 年 1月，FDA 正式发布公告，要求父母不要给两岁以下的婴幼儿服用非处方感冒咳嗽药。所以，当孩子感冒咳嗽去医院，儿医的处理就是开头所说的"庸医的做法"——什么也不做。

按照我们中国人的思维方式，婴幼儿感冒咳嗽药的遭遇实在有点儿冤。首先，根据人们的"经验"，服用了这些药物之后孩子的症状"确实减轻了"——至于不吃药或者随便吃点别的什么是不是也有同样的效果，人们不会去注意。只要能减轻症状，管它是心理作用还是自然好转呢；其次，这么多人用了这么多年也没感觉到什么"毒副作用"，何况还有医生的支持——全美国至少有几百万婴幼儿吧，一年中感冒咳嗽的人次也是个庞大的数字，这三起死亡病例，还没准儿是不当使用引起的，至于送进急诊室的那1500个倒霉孩子，谁能肯定是吃药引起的呢？"肯定"是得了其他的病嘛；再次，就这么"一棒子打死"了所有的婴幼儿感冒咳嗽药，孩子们可怎么长大呢？

在现代医学里，是否允许一种药物用于病人，首先要明确地知道它的有效性和毒副作用。使用与否其实是在二者之间寻找一个平衡。而对于有效性与毒副作用的评估，不能依靠病人，不能依靠"传统"，不能依靠权力，也不能依靠"民意"。即使是称职的医生，也并不能对所用药物的有效性和毒副作用作出可靠的判断，他们依据的也是药物研究机构的结论。只有专门的药物研究人员和客观的监测评估机构，才能作出值得信赖的判断。

婴幼儿感冒咳嗽药被一棒子打死了，我们的孩子却不可能不得病。但是，在经得住有效性和毒副作用检测的药物出来之前，"庸医"的"凉拌"或许是最好的方案。

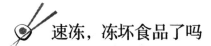
速冻，冻坏食品了吗

速冻食品是现代工业文明的产物，古人自给自足，现种现吃，对食物运输的要求不高，食物保存的水平也不高。到了现代，社会分工越来越细，都市里的人不可能自己种菜养猪，而农场乡村的农民也需要把产品卖到城市里去。从食物收获到分销到都市里的消费者手中，总需要一个过程，少则几天，多则几周甚至几个月。在这个过程中，食物如何保存就成了一个重要的问题。

所有人都希望吃到新鲜食物。一般而言，刚刚收割的植物或者新宰杀的动物有着很好的风味。在后续的保存中，植物体内的生化反应还会继续进行，但是缺少了水和养分的供给，这些生化反应的结果往往不是我们所喜欢的。对肉类来说，肉类特有的香味物质一般并不稳定，容易挥发或者氧化。更重要的是，这些食物很容易成为致病细菌生长的乐园，现代食品加工中控制细菌差不多是最关键的环节。而且，植物中的细菌生长还可能把硝酸盐转化成亚硝酸盐，而后者是一种致癌因素。通常人们把没有经过加工和储存处理的食物叫做"新鲜食物"，但是收割或者宰杀时间比较长的"新鲜食物"，在营养和安全方面都会变差。

如果把食物保存在低温下，那么上述的反应都会减慢，细菌的生长也会减慢。这就是低温保存的意义。但是一般的低温（比如冰箱的"保鲜"温度4℃）并不能让这些反应和细菌的生长停止。在冷冻的温

222

黄帝內經，有記
五色、五味、

五色五行分
肝、心、脾、
肺、腎）五臟

五行蔬菜忽悠汤……

度下(比如冰箱的"冷冻"温度-18℃～-20℃),这些反应就基本上停止了,细菌也不会生长。从理论上说,食物在这样的温度下可以长期保存。

不过,在一般的冷冻过程中,温度慢慢降到零度,食物中出现一部分水的"晶核",温度继续降低,晶核逐渐增大。这样的"冰晶"可能破坏了食物的细胞结构,从而导致食物的口感变差。这也是很多人不喜欢冷冻食品的原因。

速冻食品采取的是一种比较独特的冷冻过程。它快速地把食物降低到远远低于水的凝固点,由于降温速度很快,水在零度的时候并没有结冰,从而出现了一种被称为"过冷"的状态。等到温度远远低于零度的时候,大量的水同时结冰,这样形成的冰没有"冰晶",而呈现一种类似于玻璃的结构。这样的结构对于细胞的破坏比较小,从而可以保持食物被冻前的状态。许多科幻电影或者小说中都有这样的情节:用速冻技术把得了某种在当时算是不治之症的人冻起来,待科学发展到可以治疗该病的时候才解冻。理论上这是可能的,在目前的医学或者生物研究中,经常把生物样品进行速冻,保存很长时间之后还可以进行新鲜时候的实验。而血液保存和器官移植,也往往是依靠速冻来保持活力的。速冻食品也是如此,相当于把食物"固定"在了冻之前的状态。所以,如果不是保存时间很短的真正的"新鲜食品",那么"速冻食品"更能保存食物的营养,并能保证它的安全性。

不过,速冻和冷冻保存只是停止了食物中的生化反应和细菌生长,并没有杀死其中的细菌。如果把食物反复化冻,那么就会在其中积累越来越多的细菌,另外,化冻之后再冻回去,就不再是"速冻"了,对于食物质感可能会有比较大的影响。所以,买来的速冻食品最好是吃多少化多少,化了就不要再冻回去了。

很多人都听说过化冻食品要用冷水,但是并不清楚为什么要这么做。一方面，低温冷冻的食品是"冻透"的，需要相当长的时间才能从外到内地完全化冻。如果用很热的水，那么外层的食物会长时间处于高温的状态。温度太高的话，一方面会过度加热食物的外层，另一方面高温是细菌生长的温床。所以，最好的化冻方式是提前一天拿出来，放在冰箱的保鲜层中，到用的时候就化得差不多了。在保鲜的温度下，既可以慢慢化冻，又可以大大减缓细菌的生长。要更快一些的话，用凉水化冻也还是可以接受的选择。最快的化冻方式是微波炉，因为微波炉的加热方式跟传统加热方式不同，微波炉的"化冻"功能是快速化冻的有效手段。

总的来说，新鲜食物是最好的选择。如果食物不得不经过一段时间的周转才能到达消费者手中，那么速冻食品是更好的选择——相比于放了好多天的"未加工"、"未冷冻"食物，速冻食物最大限度地保留了新鲜食物的营养，而且更加安全。

 聚议厅

Sooo:

补充一下，微波炉化冻的效率不高，因为被化冻的食物外层化开后积满了水分，阻挡微波深入内部。建议把大块食物切薄了再冻。微波化冻时少化、平铺。

 六问固元膏

　　因为经常写一些有关食品的文章，所以经常有人问我一些有关食品的问题。在过去的几个月中，多次被问到关于固元膏的问题，我一般都说这个东西的设计理念跟现代食品学不搭界，没有什么可说的——这样的答案总不让人满意，这里就从现代食品学的角度来谈谈这个风靡大江南北的东西吧。

　　Q：固元膏是一个什么样的东西？
　　A：如果把油、鸡蛋、面粉、糖等东西混合在一起，搅匀了放进烤箱里烤一段时间，出来的就是蛋糕；如果把奶油、糖、香精、水果、蛋黄、牛奶等混在一起搅匀了，加热、冷冻再搅拌，最后能得到冰激凌；如果把阿胶、芝麻、核桃仁、红枣、冰糖弄细了，和着黄酒蒸，得到的东西就叫"固元膏"。

　　Q：传说固元膏有各种各样神奇的作用，如何看待？
　　A：如果按照现代科学的思维方式，要说一种东西有什么作用，得有一个客观的可以检测的指标。据说固元膏有补血、补肾、固元之功效，其中的"血"和"肾"本来就跟现代医学里的"血"和"肾"不是一回事，"元"就更不知道是什么了。既然没有一个客观的指标，这些神奇的作用也就无法检测。现代科学中也有把主观感受作为衡量

225

指标的，但是这样的效果就更需要对照实验来确定了。

Q：很多人都说吃了固元膏之后感觉好多了，这不就是"对照"吗？

A：这种时间上的对照也可以算作对照，不过，一些个人的感受说明不了问题。在现代科学里，要说明固元膏有效，需要做这样的实验：找许多人，随机分成两组，一组吃固元膏，另一组吃"安慰剂"——就是外观和味道跟固元膏一样但不是固元膏的东西。两组人都不知道自己吃的是固元膏还是"安慰剂"，只有主持实验的人知道。在服用一段时间之后，每个人描述自己前后的变化。很显然，会有些服用"固元膏"的人觉得没有什么用，而有些服用"安慰剂"的人感觉自己好了很多。只有平均或者总体上服用固元膏的那组人明显比服用"安慰剂"的那组好，现代科学才会认为固元膏是有效的。没有见到这样的实验报道，所以对于这个东西，现代科学会说"没有证据表明固元膏具有传说中的效果"。

Q：这个"没有证据表明"，是不是说可能有效，只是没有证实呢？

A："没有证据表明"是常用的科学语言的表述方式。它有两种情况，一是我们想证明一件事情，做了很多的实验来检测，但是都没有发现可以拿来证明的证据。从逻辑上说，没有发现并不代表它不存在，所以只能说"没有发现"或者"没有证据表明"。但是既然我们已经做了所能想到的检测却仍没有发现，通常就认为没有。这就像如果我们要寻找传说中的孙悟空，找遍了人类能想到的地方也没有找到，用科学语言来描述结果，也只能说"没有证据表明孙悟空存在"。另一种情况，我们什么都没干，也说"没有证据表明"，这种情况说"有效"没有什么根据，说"无效"也没有什么根据。固元膏就是后一种情况，没有人做过可靠的检测，有没有效仅仅是取决于你"相信"还是

"不相信"。

　　Q：但是固元膏的成分都是宝贝啊，怎么会没效呢？

　　A：从现代食品学的角度来看，那些成分跟烤蛋糕、做冰激凌的成分相比，也没有什么更"宝贝"的地方。比如阿胶的主要成分是一种品质很差的蛋白质，世界其他地方都不认为它有什么营养价值，在食品工业上主要是作为助剂使用；冰糖只是糖的一种物理形态；其他的成分里有人体所需要的营养成分，但是传说中的神奇之处没有得到过证实。

　　Q：固元膏是把这些成分混在一起，经过精心调制，完全可能发生复杂的反应而生成具有奇效的物质啊！

　　A：问题的关键就在于这个"可能"。我们在说起这些神奇的东西的时候，总是说"可能有"，"你怎么知道没有？"这跟判决岳飞的谋反罪是"可能有"没有什么区别。虽然说这些食物成分都非常复杂，不过在这种简单加热的条件下，一般只能发生交联或水解这样简单的反应。反应生成的东西被吃进肚子以后又会被消化成基本单元。用现代食品学的观点来看，把几种食品原料放在一起做成某种食品，只是为了好吃好保存，完全不会增加它的营养价值，更不会产生什么"神奇"的效果。而且，有些有价值的成分，比如某些维生素，经过长时间的加热倒是有可能失去活性。

法国悖论：饮酒有助健康

营养学界基本公认的看法是：少吃脂肪尤其是饱和脂肪含量高的食品、不抽烟、多运动是降低心血管疾病发生率的有效手段。但是对法国人的调查结果却让人大跌眼镜：他们在这三个方面都做得不怎么样，心血管疾病的发生率和心脏疾病导致的死亡率却比其他地方要低！

这个现象被称为"法国悖论"。在 1991 年，美国一家电视台介绍了这一现象，并且提供了一个可能的解释：法国人喝葡萄酒多，葡萄酒可能有利于心血管健康。于是一时间，葡萄酒成为"健康食品"，在美国的销售量上升了 44%。

"法国悖论"引起了世界各国科学家们的浓厚兴趣。这一现象到底是真是假？在其他地方的人群中是否存在？我们是否可以据此做饮食习惯上的建议？

科学家们在不同地方做了类似的调查：记录某地居民中的平均饮酒量、心血管疾病发生率、由心脏疾病导致的死亡率。这样的调查往往涉及几万甚至更多的人，时间长达一二十年。如果把科学文献中做过的这类调查汇总起来，总人数可能高达上百万。所有这些调查的结果相当地一致：与不喝酒的人相比，酗酒的人群中得心血管疾病和死于心脏病的比例都大大增加；但是"适度饮酒"的罹患上述两类疾病的概率不仅比酗酒的人低，比完全不喝酒的人也要低；不仅葡萄酒、白酒、啤酒也都有类似的结论，而葡萄酒尤其是红葡萄酒的效果似乎更为明显。于是，"适度饮酒有助健康"就被媒体和酒商爆炒——在"科学研究表明"的旗帜之下，这个结论被反复传播，最后就深入人心了——许多本来不喜欢喝酒的人，也都每天喝上一点儿价格不菲的葡萄酒，来"软化血管，保护心脏"。

但是，没有酒商愿意提到：这样的调查研究其实并不能用来证明结论——做这些调查的科学家只是为了确认这一现象是真实的并寻找合理的解释，而没有推荐大家去适量饮酒！

在科学方法上，这种研究叫做"流行病学调查"，它是为了发现某些现象之间相互关联，而不能证明一件事情是另一件事情的原因。实际上，我们可以用同样的"研究"方式得出许多荒唐的结论：如果调查哈佛大学中途退学的学生和完成学业的学生后来的平均收入，会发现中途退学者的平均收入可能比完成学业者要高，于是得出结论"从哈佛大学退学有助于在后来获得更高收入"；或者，在中国的大学校园里，高消费的学生群体毕业时找到好工作的比例更高，所以鼓励大学生们"为了毕业好找工作，大学期间提高消费水平"……

这两个例子的结论很荒唐，但是它的调查和数据可能是真实的。中途退学不是后来收入高的原因，而是中途退学的人中有一部分人是因为有更好的创业机会所以选择退学，后来成为了巨富，典型的如比尔·盖茨；同样，大学期间保持着比较高的消费水平也不是毕业容易找工作的原因，而是高消费的大学生往往有着更好的家庭背景和社会关系……

同样，饮酒也不一定是"法国悖论"产生的原因，而只是和其他因素伴随的现象。科学家们为了解释这一现象，提出了以下的可能解释：

一种是人群的社会经济状况。一个人是否有喝酒尤其是喝葡萄酒的习惯，除了个人爱好之外，往往还会受到经济状况的影响。比如说，不喝酒的人群中，会有相当一部分人是因为贫穷而买不起酒。这一部分人的生活条件、医疗卫生保障可能都会比日常喝酒的人要差一些。这样，是生活条件的差异导致了疾病以及死亡率的差异，而喝不喝酒和疾病发生率一样只是生活条件的一种表现，并不是疾病发生的原因。

另一种是喝不喝酒所伴随的生活方式。比如说，调查显示喝葡萄酒的效果比喝白酒和啤酒"显著"，一般解释为葡萄酒中的抗氧化剂有很好的"保健作用"。但是丹麦的一项大规模的调查则发现事情不一定如此：他们统计了超市中购买葡萄酒和啤酒的人同时购买的其他食物，发现总体来说，购买葡萄酒的人购买的蔬菜、水果、低脂食物等"健康饮食"的比例要高于购买啤酒的人。也就是说，喝葡萄酒的人摄入的蔬菜水果比喝啤酒的人多，而有充分的证据证实蔬菜水果对于降低慢性疾病的发生有一定的帮助。

当科学家们把这些"伴随因素"，比如种族、收入、学历、婚姻状况等纳入考虑，通过统计模型剔除了它们的影响，发现适量饮酒的"保健作用"显著程度降低了，但是依然存在。是还有未考虑到的伴随因素——比如爱喝酒的人是否伴随着不易患病的基因？或者适量饮酒的人是否在别的方面也有更好的自制能力？……或者，适量的酒精或酒中的其他成分（比如葡萄酒中的抗氧化剂等等），确实有传说中的"保健作用"？

目前，科学家们还没有找到明确的答案。考虑到与过量饮酒密切相关的高血压、心肌梗死、肥胖、癌症、肝脏疾病、车祸等，通过"适量饮酒"来"保护心血管"并不是一件值得做的事情。美国心脏协会以及许多科学界人士认为，许多有利于保护心血管的方式比适量饮酒具有更加充分的科学支持，比如：控制血压和胆固醇、低脂的健康饮食和运动、戒烟以及控制体重等等。

所以，如果实在喜欢喝酒，适量饮用基本上也对身体无害。如果本来不喜欢喝酒，为了所谓的"保健作用"去适量饮酒是一件不太靠谱儿的事情。即使是葡萄酒中的抗氧化剂之类的物质，也不如直接吃葡萄或者喝葡萄汁来得可靠而且实惠。

那么，多少算是适量饮用？一般认为非怀孕成年女性每天的啤酒饮用量不超过 350 毫升，葡萄酒 120 毫升，或者白酒 45 毫升。成年男性可达女性的两倍。

 聚 议 厅

披上松鼠皮：

　　安慰剂效应。能达到真实的 1/3 效果。

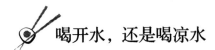

喝开水，还是喝凉水

我们从小就被教育不能喝"生水"，于是"喝生水要拉肚子"就成了一个信条。到了国外一看，原来他们根本没有喝开水的习惯！——即使是刚刚生完孩子的产妇，护士送来的也是一大杯冰水。那么，喝开水还是喝凉水，差别在哪儿呢？

水里可能有什么

人们常说"一滴水就是一个世界"，即使是看起来很"干净"的水，里面也含有各种各样的东西。对人们的健康来说，可能的有害物质主要有这么几类：一是有毒无机物，如汞、铅、砷以及亚硝酸盐等等；二是致病细菌；三是某些分泌毒素的藻类。这些物质往往是天然存在的，通常所说的"水质"往往也就取决于这些成分的含量。

致病细菌能对人体产生立竿见影的危害，所以对水进行灭菌处理也就成了饮用水的常规步骤。自来水经常用氯气或者次氯酸盐处理，这是一种灭菌效果很显著的方法，对于减少致病细菌导致的疾病有着显著的效果。但是，后来人们发现，这种处理产生的副产物，有一些能够致癌。这样的处理，也就可以说是"才出虎口，又入狼窝"。所以，科学家们一直在寻求能够灭菌而副产物危害又比较小的处理方式，比如现在瓶装水所用的臭氧处理，就是一种相对来说比较好的方式。但是它产生的副产物溴酸盐却也还是一种可能致癌的物质。在目前已经尝试过或者正在尝试的水处理方式之下，已经有几十种灭菌副产物被揪了出来。

这些灭菌副产物，也就成为了饮用水中"人工产生"的可能有害的物质。

烧开水能解决什么问题

烧开水是最直接、最简便的杀死致病细菌的方法，这也是"喝开水不拉肚子"的原因。但是，烧开水不能解决藻类的毒素，甚至有助于藻类毒素的释放。它也不能解决有毒无机物的问题。在烧开水的过程中，水总会蒸发，因而开水中的有毒物质浓度甚至比"生水"的更高。至于自来水中的灭菌副产物，基本上也不会被去除，反而浓度会增加。

所以说，烧开水解决了一个看得见的问题，却可能产生看不见的危害。毕竟，那些有毒无机物或藻类毒素对于健康的影响都是长期的慢性的。

饮用水安全的关键

不难看出，饮用水的安全，烧不烧开不是关键，里面有什么才是最重要的。对于合格的自来水、瓶装水、纯净水，已经经过了灭菌处理，没有必要再烧开。我们需要关注的是，这些水源的水质如何以及经过了什么样的处理。差的水源，可能含有更多的致病细菌和藻类，就需要更多的灭菌物质去处理。致病细菌死了，但是残骸还在，且藻类的毒素也还在。这样，产生的灭菌副产物也就会更多。

人们对于饮用水的认识越深入，发现其中存在的问题就越多，真可谓按下了葫芦，又起了瓢。为了尽可能地减小潜在的危害，现代饮用水系统或者水处理工业都变得非常复杂。先是灭菌，然后用各种方法去除其中的有害成分。有害成分各种各样，所以去除的方法也就各有不同。显而易见，去除得越彻底就越安全，但是生产成本也就越高。从技术上说，人们可以把水弄得很纯很纯，比如分子生物学实验里用的水，里面基本上只有水分子了。但是那样的水，比我们吃的油贵多了，不是个人或者社会能够承担的。

自己能够做什么

既然我们不可能把水里的有害物质完全除去，所以饮用水中存在一定量的有害物质就是不可避免的。幸好人体本身有一定的承受能力，所以只要这些有害物质的含量低到一定程度，对于人体的危害还是可以忽略的。科学研究的目标就是不断改进处理的技术，找到效果更好、成本更低的方法。而主管部门的职能，则是根据科学研究的现有水平，制定各种有害物质的允许含量，并且保证规定得到实现。

对于个人来说，总是希望得到最大的保护。烧开水更多的是一种习惯。对于泡茶、冲咖啡来说，开水的高温是从固体中提取出目标物质的必要手段。而烧开了水再放凉了喝，对于增加安全性而言意义并不大。

两点实用的建议

水就是水，卫生安全是最重要的。那些似是而非的"保健处理"都是商家的炒作，找不到科学的支持。对于家庭来说，使用一个质量好的滤水器可以进一步去除自来水中的重金属、毒素以及一些灭菌副产物，可能是对水进行的最有意义的处理了。至于烧不烧开，倒没有太大关系。

许多有钱有闲的人喜欢到某个"好水源"的地方打几大桶的水，运回家里慢慢喝。实际上，认为这样的水更好只是一相情愿的想法。新打的水可能是"好"的，但是未经任何灭菌处理的水就是细菌和藻类生长的乐园。在你看不见摸不着的时候，它们已经在里面星火燎原了。

 聚 议 厅

Mirror：

当人们说"污染源"时，一般指的是云先生给出的那三类：有机、无机的有害物质；动物性的微生物＝病菌；植物性的微生物＝藻类。但还需要有对另一个"污染源"的认识——在哪里发生了污染。换个说法就是，自来水厂合格的自来水到了自家的水龙头时并不能保证不被污染。家庭的过滤水一般不能解决硬水的问题，过滤器是否受到污染也是个问题。

对比这个遗漏部分，烧水带来的有毒物质浓度的增加几乎是"危言耸听"了。因为毕竟这里不是说喝蒸锅水。喝水的问题与其说是有害物质的问题，不如说是好喝与否的问题。因为自来水厂的出水在理论上是没有问题的了。

包括加冰的水，往往是因为水不好喝，才要做降温处理，以改善味道。有的地方甚至要加些柠檬。

说到滤水器，如何能够防止过滤器本身的二次污染才是个关键的话题吧？

喝水也会得癌症吗

每一次有什么关于癌症的说法，无论是吃什么会得癌症，还是吃什么可预防癌症，都能吸引无数眼球。最近关于饮用水中的溴酸盐超标的话题无疑集成了热门话题的若干关键词——饮用水、癌症、行业黑幕、主管部门不作为等等，所以有文章惊呼"饮用水中的溴酸盐在慢慢杀人"。那么，这个"溴酸盐"到底有多"毒"呢？

自然的水中几乎没有溴酸盐，但是有一些以其他状态存在的溴元素。在现代饮用水处理中，通常要进行杀菌处理，让细菌含量降到某个规定值以下。对于瓶装水来说，杀菌步骤就更为重要。试想，瓶装水可能存放很长时间才被消费，如果没有经过杀菌处理，时间一长，瓶装水就成了一瓶细菌培养液了。多年来，人们用漂白粉杀菌。漂白粉含氯，其杀菌后的副产物也因此饱受质疑。人们一直致力于寻找其他的杀菌方式，臭氧杀菌是目前广泛应用的一种。臭氧是一种氧化性能极高的活性氧，杀菌效果很出色。但是，它也能够将水中的溴元素氧化成溴酸盐。这就是饮用水中的溴酸盐的来源。不难看出，饮用水中的溴酸盐，与水质（水中本来的溴含量）和处理过程（臭氧处理流程和用量）有关。水中的溴酸盐一旦产生，就很难除去。一般而言，臭氧处理的饮用水中的溴酸盐含量在每升几到几十微克的范围。

溴酸盐对于人体是否有害的研究，在 20 世纪 80 年代之后才得到重视。不过，迄今为止，研究都是停留在动物实验的水平。美国环保局和世界卫生组织分别对这些研究进行了总结，结论是没有足够证据证明溴酸盐对于人体的危害，但是有很多证据证明其对于动物的危害。所以，美国环保局和世卫组织把溴酸盐放在"可能的致癌物"类别里，而不是在"致癌物"类别里。基于动物实验的结果，研究工作者推测了溴酸盐对人体可能的危害。不同的研究论文所推测出的数据不完全一样，一般结论是如果每天饮用两升溴酸盐浓度在每升 10 微克左右的水，几十年下来，得癌症的概率会高十万分之几。

目前认为溴酸盐的作用跟总量有关，也就是说重要的是日积月累吃进了多少溴酸盐，而不是喝的那瓶水中含有多少溴酸盐（当然如果把溴酸盐当饮料喝了肯定有问题）。但是溴酸盐毕竟对于人体没有什么好处，按照食品管理的通常原则，如果没有好处，那么只要怀疑有害，就要求其浓度越低越好。世界卫生组织最初推荐的控制含量是每升 25 微克，坚持喝这个浓度的水，几十年之后罹患癌症的概率会比别人高万分之一。美国环保局要求的浓度是每升 10 微克，而世界卫生组织也认为这个浓度在目前的饮用水处理中可以做到，检测手段也能够检测出来，于是把"推荐浓度"也降为了每升 10 微克。

在饮用水的安全性问题中，最重要的是微生物污染和重金属污染。重金属离子的去除在技术上不难做到，也不易带来其他后果。但是任何杀死微生物的方式，都可能带来其他的后果。2007 年 Mutation Research 上刊登了一篇综述，总结了过去三十年中各种饮用水杀菌方式所产生的副产物，总共有八十五种，其中有十一种在美国被列为受控指标。其他的七十四种未被列为监控指标，并不是因为无害，而是缺乏足够的数据来设定合理指标。

换句话说，溴酸盐不过是饮用水中若干种可能对人体有害的成分之一。因为目前没有发现它对于人体有什么好处，所以我们希望尽可能地降低它的含量。其实那些超过美国或者世界卫生组织"标准"几倍的含量，并不比质量不好的空气和许多传统食物中的致癌物给人体增加的癌症发生风险更高。出于减少一切健康风险的考虑，要求饮用水中尽可能降低溴酸盐含量本身无可厚非，但是把风险大小简单化成"有"还是"没有"，并且用一些耸人听闻、悲天悯人的说法来吸引注意，只能是误导公众。

 聚 议 厅

Lynn：

保持一种平衡的生活状态就是最好。

没有鸡什么事……

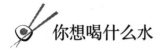 你想喝什么水

对于"保健食品"和"食疗"的特殊偏好，使得我们对于喝水也有了特别的关注。且不说"纳米水"、"磁化水"等似是而非的概念可以刮起一阵又一阵的旋风，就是平常的瓶装水，也经常为了"矿泉水"、"纯净水"的优劣争论不休。再加上"矿物质水"的出现和"内幕"，更把这种口水战推向了一个新的高度。

对于矿泉水，就像贴了"有机"、"绿色"标签的蔬菜一样，总会受到更多的追逐。而国家标准也对矿泉水有着明确的界定。简单说来，除了"天然"、"未经污染"之外，最重要的就是其中含有"有益"的成分。这些有益的成分包括：锂、锶、锌、硒、溴化物、碘化物、偏硅酸、游离二氧化碳和溶解性总固体。这九类成分（当然最后那个"溶解性总固体"也可以看做前面各成分的总和）中只要有一种达到了规定的指标，就可以叫做"矿泉水"。也可以这么说，"纯净水"都是一样的，"矿泉水"却"矿"得各有不同。对于矿泉水的作用，典型的说法是"偶尔喝一点儿没有立竿见影的好处，但是长期饮用就有保健作用"。当然这些"保健作用"和"长期"属于很难界定的东西，更多只是"信则灵"的意思。就像有个搞笑广告说的：如果你连续一百年每天喝一杯我们的产品，你就一定能长命百岁。的确，列出的这些成分对于人体是必需或者有益的，但是并不意味着一定要从饮水中获取。毕竟人还要吃各种食物，而通常食物更能提供各种营养成分。如果水

源很好，装瓶保存过程又符合卫生安全标准，矿泉水倒也至少不会有害，只要承担得起，即便用它来煮饭也没有什么不好。

美国的瓶装水和药品食品一样，是由 FDA 来管理的。可能因为美国人对于水的"保健作用"没有什么兴趣，所以 FDA 对于水的"有益成分"没有什么要求。他们也没有我国的"矿泉水"的概念。类似的东西有一种叫做"mineral water"，要求是来自于受保护的地下水源，其中溶解的固体成分超过 250ppm（每升水中 250 毫克）。而在我国，如果是靠这项指标来成为"矿泉水"的话，要求是 1000ppm。另一种东西叫做"spring water"，连这项指标都没有了，只要求来源是依靠自然的压力流到地面的水，也就是我们所说的泉水了。

不过在 FDA 的规定中，有一条是不许向瓶装水中添加别的成分，允许的例外只有氟或者防止细菌生长的成分。如果加了别的矿物质或者调味成分，就不能使用上述名称，而只能叫"含有某某成分的瓶装水"。在中国，"矿物质水"的出现是一个成功的文字游戏。通过往纯化的水中加入矿物质成分而得到的"矿物质水"，完全可以给人"矿泉水"的错觉。"行业内幕"被揭开了，却完全没有违法的地方。既然没有"矿物质水"的国家标准，当然也就没有违法之说。

纯净水是瓶装水的另一个方向。矿泉水是希望其中含有矿物质，其实普通的江河湖水中含有不少矿物质，只是这些水中还含有许多有害成分如重金属和细菌等等。为了卫生健康，只好进行"净化"，而净化的过程就"宁可错杀一千，不可放过一个"，不管有益的还是有害的成分，通通赶尽杀绝。以前的净化工艺是蒸馏，不过成本比较高。后来的新技术，诸如离子吸附、反渗透、微滤、超滤等，也可以有效地去除这些离子成分。不过，相对于这些无机物质，致病细菌的危害更为直接，所以纯净水的杀菌更为关键。目前也有了许多各有利弊的杀菌工艺。

我们天天都要喝水，只要水里的重金属和致病细菌等有害成分的含量低到不影响健康的程度也就可以了。非要从水中寻找"营养"、"保健"甚至"食疗"作用，大概只能徒增负担，给商家提供一个炒作赚钱的途径而已。

 浓缩未必是精华

我们对吃的追求大概是全世界首屈一指的，所以很容易理解"吃饱"之后对于"吃好"的追求——而这个"好"，在"好吃"之外，更多的是"养生"。于是，各种说得天花乱坠的"保健品"层出不穷。自己吃，孩子吃，老人吃……吃"保健品"几乎成了一种时尚。不少保健品来自于常规食物或者天然动植物的浓缩部分，许多人相信"浓缩就是精华"，或者认为"即使没好处，至少没坏处"，于是不妨"宁可信其有"。现代科学是不依靠"相信"来解决问题的。对于那些"神奇"的保健品，现代科学做了怎样的探索，又知道了些什么呢？在这里，我们来简单谈谈几种常见的保健品。

大豆蛋白粉

蛋白质是最重要的生命物质，人体需要从外界摄取一定量的蛋白质来维持人体机能的正常运转。而大豆是一种很好的食物，所以大豆蛋白粉被鼓吹成"神奇保健品"也就很容易让人相信了。

从蛋白质的角度来说，大豆蛋白确实是一种很好的蛋白。它的氨基酸组成与人体需求很接近，在满足人体需求上，与鸡蛋、牛奶、牛肉等食物中的蛋白质一样很高效。而且，它不附带脂肪和胆固醇，对于维护心血管健康比较有利，在这一点上甚至比动物蛋白质更为优越。不过，它的作用在于作为正常饮食的一部分，取代其他来源的蛋白质。

如果是在正常饮食之外，像吃药那样额外地吃一些蛋白粉，对于健康也没有什么意义。1999 年，FDA 批准大豆蛋白可以做这样的营养标识："每日食用 25 克大豆蛋白，并配以低胆固醇、低饱和脂肪酸的食谱，可以降低心脏疾病发生的风险。"这是迄今为止食品监管机构对于大豆蛋白的保健作用唯一的认证。除此之外，还有一些研究显示大豆蛋白对于人体健康有其他的有益影响。这些研究，也经常在推销中被当做"科学证据"。其实，这些研究都还很初步，不足以形成学术界以及 FDA 等部门普遍认可的结论。在美国，用那些"研究结果"来推销产品是非法的，会受到惩处。

在国外，大豆蛋白是作为一种价格低廉的健康食品而被逐渐接受的。蛋白粉是纯度比较高的蛋白质，纯化过程完全不能带来什么额外的"神奇作用"。人体并不仅仅需要蛋白质，大豆中的其他成分对于人体健康也同样很有好处。美国心脏联合会在 2006 年发表的报告中认为：由于豆制品中含有大量的不饱和脂肪酸、纤维、维生素、矿物质，以及只含有低浓度的饱和脂肪酸，所以对于心血管以及整体健康是有利的。

纯化的大豆蛋白仅仅是为了方便使用，尤其是在配方食品中更容易加工。用水冲一杯蛋白粉来喝，完全不比一杯豆浆更有营养。它的意义，只是比做一杯豆浆或者吃一碗豆腐脑更方便一些。所以，蛋白粉的消费，是花钱买方便，而不是花钱买营养。就营养而言，直接吃豆制品甚至更好一些。是否消费蛋白粉，就变成了这样一个问题：为了方便，你愿意多付多少钱？

鱼油

鱼油大概是现在的食品研究中最热门的领域之一。当我们说作为保健品的鱼油时，其实指的是鱼油中的 ω-3 多不饱和脂肪酸，或者更具体地说，是其中的 EPA 和 DHA。就实质而言，它们与豆油、花生油一样，是一种不饱和脂肪酸。但是 EPA 和 DHA 的分子结构比较特殊，它们对人体有着与普通植物油不同的影响。

在过去的几十年中，ω-3 多不饱和脂肪酸对人体健康影响的研究进行得非常广泛。美国国家卫生研究院(NIH)汇总的研究结果多达几十个方面。其中，证据确凿、被广泛接受的是经常吃 ω-3 多不饱和脂肪酸有助于降低血脂、降低血压、软化血管以及减轻心脏病人各种症状突发的风险。它也能够提高"好胆固醇"的浓度——不过，同时也会提高"坏胆固醇"的浓度。除此之外，还有一些实验结果显示 ω-3 多不饱和脂肪酸有助于胎儿生长，以及幼儿视力和大脑的发育等。至于其他的"保健作用"，被认为实验结果还不足以支持结论。

总的来说，ω-3 多不饱和脂肪酸对于健康的好处是明显的。FDA也给予了鱼油 GRAS 的分类，即没有安全性问题。不过，如果服用量过大，也可能导致出血症状，比如流鼻血、血尿，甚至出现血性中风。因为 ω-3 多不饱和脂肪酸的"保健作用"是跟剂量相关的，而大剂量又有健康风险，所以合理服用就成了一个问题。至于多大量算是"大剂量"，NIH 的网站以前提供了一个"每天 3 克鱼油可能导致出血症状"的参考标准，但是在最近的更新中把这句话删除了。世界卫生组织推荐健康成年人每天摄入总共 0.3～0.5 克的 EPA 和 DHA。通常的一颗鱼油大致接近这个量。

鱼油虽然是来自于鱼这样的"天然产物"，但是也并不能保证它一定就是安全的。比如，NIH 认为鱼油可能存在着重金属等污染，如果没有自己医生的建议，不推荐给小孩儿服用。虽然有研究显示 ω-3 多不饱和脂肪酸有助于婴幼儿发育，但是应该用多大的量也还是没有明确的数据支持。目前的许多婴儿奶粉炒作"几倍 EPA 和 DHA"，也是一种推销噱头。另外，由于它能升高"坏胆固醇"的浓度，对于"坏胆固醇"浓度高的人也就相当危险。由于可能影响血液凝固，所以对于临产孕妇和将要做手术的病人，服用鱼油也有着潜在的风险。

鱼油本身只是一种渔业加工的产物，并不比鱼中的鱼油优越。美国心脏协会推荐吃鱼来摄入 ω-3 多不饱和脂肪酸。那些含脂肪多的鱼类，比如鲤鱼、鲶鱼、三文鱼、金枪鱼等，也都含有丰富的鱼油。胶囊中的鱼油只有两个方面的优势：一是方便，不需要去买鱼、做鱼来吃，而且很容易获得想要的剂量；二是鱼（尤其是野生的鱼）容易受到污染，而污染物通常在鱼肉中积累。国内对于鱼油"保健功能"的炒作有点超过了它本来的面目，从而使得其价格不合理地高涨。服用鱼油的方便和对鱼污染的担心，是否值得付出鱼油的高价？所购买的鱼油，是否真的像推销宣称的那样经过了污染物的检测？里面是否真的含有所说含量的 EPA 和 DHA？……这些问题不是科学所能回答的，只能取决于主管部门的监测和个人的判断了。

大蒜精

大蒜是人类食谱中历史最悠久的食物之一，传统医学认为它对于各种各样的疾病都有很好的防治作用。现代工业技术的进步使得人们可以把大蒜进行各种各样的深加工，提取出"大蒜油"，分离出"大蒜精"，做成"大蒜粉"等。人们希望或者说相信这些"浓缩的精华"可以无毒无害地实现各种"保健"作用。

实际上，现代科学对于大蒜以及各种大蒜成分对于人体健康的影响也进行了很多研究。到目前为止，至少有二十几个方面的作用有实验结果发表。这其中只有降低血液中的胆固醇含量有比较好的数据支持。不过，这些实验持续的时间都比较短，一般只进行了几个星期。至于更长时间是否依然有效，还有待于更多的实验去检验。而传统上认为的其他作用，都没有太像样儿的数据支持。

在一般正常的食用量下，没有发现大蒜有明显的副作用。但是，有一些实验结果显示大蒜可能有减轻血液黏稠度的作用。这对于血液过黏的人当然是有好处的，但是对于临产孕妇或者即将做手术的病人，却会增加止血难度。所以，NIH 建议这些人群应该避免食用大蒜以及大蒜加工产品。

许多大蒜产品宣称采用了"先进技术"，所以保留了"活性物质"。但是，现在的科学研究根本还没有弄清楚大蒜中对于健康有利的物质是什么，所谓的"生物活性"也没有明确的定义，"保留活性"也就只是一句空话。为了获得蒜的有益作用，世界卫生组织推荐每天食用 2～5 克生蒜或者含有 2～5 毫克大蒜素的大蒜产品，比如 0.4～1.2 克的大蒜粉、2～5 毫克的大蒜油、0.3～1 克的大蒜提取物等。换句话说，一瓣大蒜在营养方面的价值，与其他的这些大蒜产品是一样的。

芦荟胶囊

人类使用芦荟的历史可以追溯到六千年前，古埃及人把这种长在石头缝里的植物称为"不朽的植物"。传统上，它被用来通便、涂抹伤口以促进愈合、治疗一些皮肤症状。

芦荟胶囊是芦荟叶提取物的浓缩产物，被宣传成芦荟精华，号称有许多"奇效"。但是，不管是芦荟本身还是芦荟胶囊，都没有被证实有什么保健作用。有一些实验结果显示口服芦荟有通便作用，外用的时候对某些皮肤病有一定疗效。但是对于在什么剂量下有效，什么剂量下没有副作用，则还缺乏相关的数据。FDA 曾经允许芦荟产品用做非处方通便剂出售，但是在 2002 年撤销了这一批准，要求所有产品重新开发并且提供安全性数据。芦荟其他的"保健"、"治疗"作用，也没有取得足够的实验证据。

结论

一个最广泛的错误认识是"天然产物就是无毒无害的",认为只要是来自于动植物的东西纵然没有益处也不会有害——这差不多是"草本精华"的理论基础。动植物不是为人类而生的,传说中的神农氏也要通过"尝"来探索植物有没有毒——从现代科学的角度来看,古人的探索是相当靠不住的,许多慢性、轻微的毒性古人"尝试"几千年也还是发现不了。

另一个更广泛的错误认识是"如果一种东西对人体有好处,那么其浓缩的精华效果就会更好"。确实,多数东西对人体的作用是与剂量相关的,"浓缩的精华"也的确有利于人体很方便地摄取更多营养。但是,当剂量大了之后,好的作用加强了,坏的作用也加强了。比如,通常饮食中的鱼油和蒜是相当安全的,但是大剂量下它们都会增加流血风险;而芦荟可以通便,也同样可能导致拉稀。

许多保健品都宣称有这样那样的奇效,而许多效果纵然谈不上"奇",也确实有一些科学实验数据的支持。但是,医药管理部门依然不认可它们,原因就在于:在用量小的时候副作用可以忽略,"保健作用"也很微弱;如果大量服用,"保健作用"可能加强,但是毒副作用也会加强。所以,在二者都得到充分认识之前,主管部门不推荐、不批准也不认可它们的"奇效"。人们对这些东西的追逐,除了被忽悠,更多的是出于一种"信念",一种没有科学支持的"信则灵"的信念。

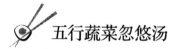 五行蔬菜忽悠汤

　　有一位姓马的网友给我发了一个介绍蔬菜汤的小册子，说是他父亲偶然获得了这个东西，便如获至宝，不仅自己喝，还介绍亲朋好友也喝。我想，就像许多民间偏方一样，蔬菜汤大概也不会有什么害处，喝就喝吧。我打开那个十五页的小册子，第一页的内容就令人叹为观止，于是有了探究一番的冲动。

　　除去开头一段极具诱惑力的引子之外，很快就进入正题：蔬菜汤乃是"日本预防医化研究所所长"立石和教授所发明，仅仅用很平常的五种蔬菜煮汤喝就可以治疗癌症。虽然我不研究癌症，也不研究蔬菜，不过这样重大的发明不应该没有听过。出于多年读书、工作形成的职业毛病，首先想到的是找来这位立石和教授的文献看看。可惜我不懂日文，也不知道这个名字的英文拼写，只好找人帮忙了。辗转找到了游历过日本的田不野，田兄一口答应帮忙，接着便到中文的网页上查询。

　　不搜不知道，一搜吓一跳。"五行蔬菜汤"有116000个相关网页，比林光常还要多一些。而且，除了极少数对于疗效有一些质疑，绝大多数内容都跟那本小册子大同小异——若干个健康网站和电视台也对其赞誉有加，甚至百度百科也基本上引用了这个小册子的内容。

　　于是，回过头去继续看那个小册子，里面说立石和教授研究发现了一千五百多种防癌、抗癌药物，经过滤、筛选最后发明了这个"五

行蔬菜汤"。他的实验是"把胡萝卜及牛蒡所熬出的汤注入含有癌细胞的培养液中，然后在显微镜下观察，发现本来非常活跃、坚硬的癌细胞几分钟内就死掉了。同时又用蔬菜汤喂食实验老鼠，老鼠活得更健康。经过数百次重复试验，其结果都是一样的。"感谢当年养过半年癌细胞的经验，我对于这个实验还算有发言权。虽然体内癌细胞的可怕之处在于它的"不死"能力——可以一直不停地分裂，但是在培养液里养活它们并不容易。换句话说，要弄死待在培养液里的癌细胞实在太容易了。酸碱度不对、盐浓度不对、温度不对、培养液成分不对……只要一种条件不对，癌细胞们就寻死觅活的。要是倒入一碗蔬菜汤它们还不死就太好了——细胞培养的成本会大大降低。如果这就可以找到治癌良方的话，每个人都可以发明一大堆——把果汁、可乐、白开水、盐水、醋、白酒等东西倒进细胞培养液中，癌细胞基本上也是扛不住的，"很快就死掉了"。同时再拿这些东西喂老鼠，"老鼠活得更健康"——也没说"更"是跟喂什么相比的。

我想，虽然这些实验靠不住，万一这位"教授"人品大爆发，误打误撞真找到了解决癌症这一世界难题的捷径呢？我还是应该以最大的善意来揣测这些有"重大发现"的人——不然很容易成为制造"伪科学冤案"的帮凶。于是，我耐着性子往下看。后面是解释为什么这几种蔬菜煮出来的汤有如此神效——先是这些蔬菜的化学组成，几十种化学名称加上含量往那里一摆，确实是很吓唬人。好在我看这些数字多了，也就习惯了——任何一种蔬菜，甚至野草，拿去一分析都可以列出这样的一堆数字。而那些成分，也几乎没有一种能够"防癌、致癌"的。不过，下面还有一堆来自"古代典籍"的作用，我却没法说它不对——我知道列出的这些成分都没有防癌作用，但是从"哲学"角度说，无法"证明"这么一大堆东西混在一起就一定不能产生一种"神奇"的汤——"五行"的神奇，或许就在于此。

后面的疗效更是让人热血沸腾——三天癌细胞的活动停止，一个月机能恢复。不仅是癌症，它能治的病差不多比我听说过的还多。这种"神汤"的发明，会让全世界研究癌症的大部分人失业，让无数的药厂关门，诺贝尔奖不发给他简直就是赤裸裸的嫉妒。一个东西太好了，就会令人难以相信——我也就等着看远在日本的松鼠会成员田不野找来的资料，来弄明白为什么这么伟大的发明却如此默默无闻了。

大概这位"立石和教授"在日本也是声名显赫，在我看完那个十五页的小册子之前，田兄的资料就发过来了。知道我看不懂日文，田兄还大致翻译了一下日文维基的词条："大概意思是，1993 年到 1994 年，蔬菜汤健康法兴起，当时身体不太好的渡边尝试了一下，然后与立石和一起写了《蔬菜汤防癌》一书。不久，立石和因为没有医生执照而行医、卖没有药品许可的药而被捕，渡边也因此受牵连。这本书在日本卖了 185000 册，许多人受骗。后来的考察证明这种疗法根本没有效果。没过多久，渡边逝世。另外，评论家草柳大藏、漫画家赤塚不二夫、职业棒球监督星野仙一夫人星野扶沙子也曾为其打广告。"

也就是说，这位立石和教授的"五行蔬菜汤"，在日本忽悠的年代比林光常走红两岸更早，吃上官司的年头也更早。立石和比林光常更牛的地方在于，找到了渡边美智雄来给他做"轿夫"。这位渡边先生，曾经两度竞选日本首相，虽然失败了，但也当了多年的内阁大臣和副首相。不过，科学问题毕竟不是政治权威能够解决的，骗局被揭穿，也几乎成了渡边副首相的政治污点。奇怪的是，"五行蔬菜汤"在发源地被揭穿十几年之后，却经由台湾走红了两岸。看看那十几万个中文网页中大量推销"五行蔬菜汤"的公司，大致可以理解为什么有那么多人不遗余力地推广忽悠了。

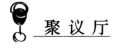 聚 议 厅

Marvin：

　　这汤要是打着减肥的招牌卖可能还合适些……我最不爱看那些"把汤冲到癌细胞里，癌细胞就死了"的所谓实验证据，你把癌细胞的培养液吸干搁空气里晾晾，它们也会前仆后继地死去，能说空气抗癌吗？

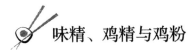 **味精、鸡精与鸡粉**

人体能够体验到的基本味道之中，有一种叫做"鲜"。亚洲人很早就用各种浓汤作为调味品来增加食物的"鲜味"，比如鸡汤、骨头汤、海带汤等。1866 年，一位德国化学家发现了汤中的谷氨酸盐。到了 1907 年，有个日本人蒸发大量海带汤之后得到了谷氨酸钠，发现这个东西尝起来像许多食物中的鲜味，这个东西就是我们说的味精。

最初的味精是通过水解蛋白质然后纯化得到的。现代工业生产通过某种擅长分泌谷氨酸的细菌发酵得到。发酵的原料可以是淀粉、甜菜、甘蔗乃至于废糖蜜，使得生产成本大为降低。生产过程中不使用化学原料，所以也可以说味精是天然产物，类似于用粮食酿的酒。另一方面，发酵与纯化毕竟是工业过程，许多人还是会把它当成"合成"产品。

谷氨酸是组成蛋白质的二十种氨基酸之一，广泛存在于生物体中。但是，被束缚在蛋白质中的谷氨酸不会对味道产生影响，只有游离的谷氨酸才会与别的离子结合成为谷氨酸盐，从而产生"鲜"味。在含有水解蛋白的食物中天然存在谷氨酸钠，比如酱油是通过水解蛋白质得到的，其中的谷氨酸钠含量在 1% 左右，而奶酪中的含量还要更高一些。有些水解的蛋白质，比如水解蛋白粉或者酵母提取物，其中的谷氨酸钠含量甚至高达 5% 以上。还有一些蔬菜水果，也天然含有谷氨酸钠，比如葡萄、番茄、豌豆，都有百分之零点几的谷氨酸钠。这样的浓度，比起产生"鲜味"所需的最低浓度要高多了。

总的来说，味精是一种氨基酸的钠盐，本质上是一种提供"鲜味"的天然产物。当今市场上的味精是高度纯化的发酵产物，我国国家标准要求谷氨酸钠含量至少在80%以上，而高纯度味精则要求99%以上。

对于味精是否安全的问题，经历了漫长的争论。

1959年FDA基于味精已经长期被人类使用而给予了"GRAS"的分类。GRAS是"generally recognized as safe"的缩写，是FDA分类中最安全的一类。

1968年，《新英格兰医学杂志》上刊登了一篇文章，描述了某个人吃中餐时的奇怪经历，大致是说他吃中餐15~20分钟之后，项部开始麻木，并逐渐扩散到双臂和后背，持续了两个小时左右。这篇文章引发了世界性的对于味精的恐慌，被称为"中餐馆并发症"。后来的科学研究没有证实"中餐馆并发症"的存在，这个故事也就一直像民间传说一样流传。人们倾向于相信一种东西的危害，关于味精安全性的争论也就一直没有停息。

20世纪70年代，FDA重新审查食品添加剂的安全性，结论是在通常的使用量范围内，味精没有安全性问题，但是推荐对大量食用的影响进行评估。1986年FDA的一个委员会评估食品对过敏症的影响，结论是味精对普通公众没有威胁，但是对少数人可能造成短暂症状。1992年美国医学协会认为"任何形式的谷氨酸盐"对于健康都没有显著影响。1995年FDA的一份报告认为"有未知比例的人群可能对MSG（味精）发生反应"，并且列出了诸如后背麻木、头疼、恶心、呕吐等一些可能的症状。

1987年，联合国粮农组织和世界卫生组织把味精归入"最安全"的类别。

1991 年，欧盟委员会食品科学委员会确认对于味精的"每日可摄入量"分类为"无定量"（欧盟体系的最安全类别）。

对于味精的副作用，科学上争论较多的是"兴奋毒性"的问题。实验都是基于动物的，由于动物与人类的差别以及剂量问题，科学界还没有形成明确的结论。

另一个方面是对肥胖的影响。有研究发现味精能够刺激老鼠的食欲，从而影响老鼠食量而导致肥胖。不过有一项针对近五千人的调查，结论是肥胖与味精没有关系。

总的来说，食品监管机构认为至少在调味料的使用量上，味精对于人体没有危害。另一方面，许多报告和个案列举了味精的种种危害，但是这些危害缺乏可靠的科学实验验证，因而没有被监管机构接受。

"鸡精"这个名字起得非常成功，再配以包装上画的大母鸡，给人感觉鸡精是"鸡的精华"。鸡精的销售，也大有取代味精之势。

其实，鸡精的主要成分还是味精，只是味精是单一的谷氨酸钠，而鸡精是一种复合调味料，其中的谷氨酸钠含量在 40% 左右。鸡精中除了味精之外，还有淀粉（用来形成颗粒状）、增味核苷酸（增加味精的味道）、糖、其他香料。严格说来，还应该有一些来自于鸡的成分比如鸡肉粉、鸡油等。但是，由于来自于鸡的成分比较贵，为了降低成本，厂家可能完全不用鸡的成分。所以说，你买的鸡精中是否含有来自于鸡的成分，完全取决于生产厂家，消费者基本上不可能通过产品来进行判断。

不用鸡肉成分，鸡精中的"鸡味"来自于鸡味香精。鸡味香精跟鸡也没有关系。跟通常的合成香精不同，鸡味香精的生产不是原料的简单混合，而是用氨基酸和还原糖在加热条件下得到的，产物不是单一组分，而是复杂的混合物。这个叫做"美拉德反应"的过程跟煮肉、烤肉产生香味的过程比较类似。控制原料和操作条件，可以获得各种不同的肉香味。

味精的成分单一，在食物中主要增加"鲜"味。鸡精的成分复杂，一般而言，"香"味更浓郁一些。鸡精厂家用鼓吹味精的危害来促销鸡精，基本上是欺人之谈。鸡精的主要成分也是味精，如果味精有他们所说的危害，那么他们如何在鸡精中消除？

当人们看到"鸡精"和"鸡粉"这两个词的时候，可能会以为"鸡精"是纯度更高的"鸡粉"。其实它们可以算是两种不同的东西。鸡粉主要是由鸡肉经过工业加工而来的，其中的谷氨酸钠含量较低，而来自于鸡肉的成分较高。这也是鸡粉的生产成本要高一些的原因。

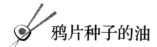 鸦片种子的油

　　有位记者给我发来邮件，说市场上出现了一种号称很神奇的"御米油"。它有着"宫廷贡品"的光环，《本草纲目》上有记载，还有现代科学的成分分析，以及"国家指定生产"的尚方宝剑，一时间这种油就像它的包装一样身价不凡。因为"御米油"从罂粟籽中得来，而一百多年来鸦片在人们心中的阴影又让人们纷纷怀疑：鸦片种子中的油，能吃吗？

　　看看"御米油"的宣传中所说的事实，倒也不是很离谱儿，罂粟的种子的确是没有毒性的。在欧洲和中东一带，罂粟种子作为调料广泛使用，大概跟我们用的芝麻或者胡椒差不多。罂粟种子中有很多油，含量比大豆还高。在印度，人们先把罂粟种子用来榨油，剩下的残渣是穷人的粮食。罂粟籽油也确实是一种很好的食用油，正如国家"有关部门"的检测结果一样，其中含有浓度较高的维生素 E 和亚油酸。除此以外，厂家宣称"科学文献及国家权威检验机构检测"表明的那些神奇的作用都没有得到证实。厂家宣称"御米油"含有八种人体所必需的氨基酸，"高达"57%（有的宣传是 66%）的亚油酸，以及许多已知与未知的"生物活性成分"，造就了各种神奇的功能。

　　首先，说这个"八种人体必需的氨基酸"，这话可能没有错。不过，任何一种蛋白质，通常都含有这"八种人体必需的氨基酸"。要找出只含有七种或者更少氨基酸的蛋白质来，还真不是件容易的事。换

句话说，到野地里随便拔一把草，说其中含有"八种人体必需的氨基酸"，基本上不会有错。人体每天所需要的氨基酸(来自于蛋白质)有好几十克，油中含有的这点儿实在可以忽略。不知道"御米油"中的蛋白质氨基酸组成如何，就人体所需要的氨基酸组成而言，除了大豆蛋白以外的植物蛋白质一般都有缺陷。退一步说，无论其中的氨基酸组成如何合理，也不会超过牛奶、鸡蛋。而且，有点奇怪的是，现代食品工业里都会把食用油提得很纯，这个"御米油"中却含有8%的蛋白质，不知道是为什么。

其次，"高达57%或66%的亚油酸"。现代科学认为植物油比动物油更健康，是由于植物油中的不饱和脂肪酸含量很高。相对于饱和脂肪酸，不饱和脂肪酸对于人体健康更有好处。所以，不饱和脂肪酸的含量，一般也就用来衡量食用油的品质。不饱和脂肪酸有的含有一个双键，称为单不饱和脂肪酸，如油酸；有的含有两个或者三个双键，称为多不饱和脂肪酸，亚油酸是其中一种。"有关部门"检测的结果是御米油中油酸含量19.3%，亚油酸含量66%。许多文献中测出的亚油酸含量高达76%。不饱和脂肪酸具有降低胆固醇的作用，其他科学认可的"保健"作用也多与此有关。所以，说罂粟籽油对于心血管疾病有好处也不为过。但是，任何不饱和脂肪酸都有同样的作用。而别的食用油中，单不饱和脂肪酸或者多不饱和脂肪酸含量比它含量高的并不少见。比如说，一般的大豆油中不饱和脂肪酸总含量大约为85%，而多不饱和脂肪酸含量在61%左右；玉米油中的含量分别为87%和62%；葡萄籽油是88%和71%；棉籽油也有76%和50%；葵花籽油是89%和69%。最近在市场上出现的红花籽油，更高达90%和77%。所以说，就不饱和脂肪酸的组成而言，罂粟籽油算是不错，但也没有神奇之处。

再次，罂粟籽油中含有较高含量的维生素E。其含量比大豆油和玉米油高，但是不如葵花籽油。其实一般人并不缺乏维生素 E，所以这个成分也没有太大意义。

最后，只有那些"莫须有"的"生物活性成分"了。现代食品科学没有发现那些"神奇"的成分，但是总还是有人"相信"它们的存在。

在西方，罂粟籽油更多并不是用来食用的。罂粟籽油比较有趣的地方在于它无色无味，在常温下能够变干。所以，很多画家把它用做油画原料。它的优势在于干了以后不会变色，劣势在于干的速度比较慢。其他的用途还有在清漆或者肥皂中使用。

总而言之，作为食用油，罂粟籽油本身还是不错的。但是，它并不明显地比别的食用植物油更有优势。如果其价格跟豆油、菜子油一样的话，吃吃也不错。但是，看看它的价格，还是让有钱人去显示"消费档次"好了。

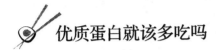 ## 优质蛋白就该多吃吗

如果接触过蛋白粉的推销人员，他们一定会告诉你他们卖的蛋白粉是蛋白质品质系数为最高分1的优质蛋白，有各种神奇效果，不买简直就是你的损失。这话前半句是没有错的，所卖的蛋白粉，不管是牛奶的还是大豆的，蛋白质品质系数都是1，而最高分也确实是1。问题在于，这个最高分"1"意味着什么，是不是优质的蛋白就该多吃？

关于蛋白质的品质评价，历史上用过几个指数。既然已经成为历史，也就不必说了。我们知道生物体内的蛋白质由二十种氨基酸组成，其中有一部分人体不能合成，从而只能从食物中摄取。我们摄取蛋白质，是为了满足氨基酸的需求。人体对于不同氨基酸的需求量不一样，有的需求量大，有的需求量小。最理想的情况，是食物中的氨基酸组成跟人体需求一样，那么就没有浪费了。实际上各种蛋白质的氨基酸组成差别很大，有的氨基酸是过量的，有的则很少。如果食物中某种氨基酸量少而人体需求量又多，那么这种食物满足人体氨基酸需求的能力就比较低（这里实行的是"一票否决"）。当然，有的食物含有大量的某种氨基酸，但是消化率很低，那也不能用于满足人体需求。

所以，在考虑蛋白质品质的时候，需要考虑三个因素：第一，该蛋白质中各种氨基酸的组成是什么样的；第二，这些氨基酸被人体消化的效率如何；第三，人体对各种氨基酸的需求如何。根据这些因素，专家们设计出了一套方案，测算出一个参数来描述一种蛋白质满足人

体对于氨基酸需求的能力。这个参数叫做"蛋白质消化率校正计分"，目前被联合国粮农组织、卫生组织、美国 FDA 以及食品行业广泛采用。

从这个参数的设计原理可以看出，分数高（最高值为 1），只是表示这种蛋白质在满足人体氨基酸需求上的效率高，完全不表示它有什么特别功能。比如，牛奶中的蛋白质和鸡蛋蛋白的分数为 1，牛肉蛋白为 0.92，大豆中的蛋白为 0.91（经过工业加工分离的大豆蛋白可以达到 1），而面筋蛋白只有 0.25。这些数字只是说明，牛奶和鸡蛋最容易满足人体需求，而牛肉和天然大豆就差一些，面筋则更次之。还有一种蛋白质叫做 gelatin，通常吃的果冻就是，它没有色氨酸，所以分数为 0。也就是说，虽然都是蛋白质，但是不管你吃多少果冻，如果没有其他蛋白质的话，还是会营养不良。著名的阿胶主要成分也是 gelatin，单就蛋白质品质而言，它也是 0。我们经常看到介绍某种食品，说含有十几种氨基酸云云，其实是一句唬人的废话。只要是蛋白质，就会含有至少十几种氨基酸。谁要弄出只有几种氨基酸的蛋白质，那在生物学上可就牛气了。

当这个蛋白质质量分数很低甚至为 0 的时候，并不是说这种蛋白质就"没有营养"或者没有用，只是说有某方面的缺陷使之难以"单独"满足人体对氨基酸的需求。但是，我们通常食用的食物中不会只含有一种蛋白质，而每种蛋白质缺乏的氨基酸往往不同。不同蛋白质互补的结果，使这些混合食物中的蛋白质质量分数也完全可能达到 1。像 gelatin 这样的蛋白质，据说有的厂家直接往里加入色氨酸，于是这个产品的分数就从 0 变到 1，野鸡变凤凰了。

对于消费者来说，蛋白质质量的评价分数其实没有太大意义，它主要对于开发配方食品有一定指导意义。对我们来说，重要的是注意食物的多样性。蛋白质毕竟只是食品的一方面，人类对于食品营养的认识虽然在不断深入，但是毕竟还是有限的。任何一种"优质"的食品，都不会完全满足人体的所有需求。多样性的食品，可以把某种营养成分缺乏的可能性大大降低。对食品营养成分的科学认识，只是提供一些大致的指导。尤其是素食为主的人，更要注意食物的多样性。除了大豆蛋白的植物蛋白，通常都会有一两种氨基酸含量很低，从而使它们的蛋白质质量、分数都比较低。多样化的食谱，各种不同蛋白质的氨基酸互补，能够避免某种氨基酸的缺乏。

 聚 议 厅

热汤面：

也不知道该听谁的。记得有篇文章说多吃豆制品不好，可是平时都听说是多吃好。有人说"以形补形"好，可又有人蹦出来说不好。说拿肝脏做比，人的肝脏和动物的肝脏构造、成分、功能是相同的，吃肝是在加重肝的负担……多少老话在科学面前显得太过陈旧、粗鄙。到底是怎么回事？云无心博士您再给解释解释。

云无心：

关于豆制品的问题比较复杂。关于大豆蛋白的问题可见我写的《像赶时髦一样追逐大豆蛋白》，关于异黄酮可见《异黄酮的是是非非》。卵磷脂我没有写，也差不多是种好食品原料，但指望有保健功能基本上是人们的一相情愿。最近发表的一项豆制品对健康影响的研究结果比较负面。"以形补形"用现代科学的标准来看就是胡扯。肝脏是解毒器官，各种毒素残留可能会高一些。比如饲料添加剂的残留，在猪肝、鸡肝中的含量都比肉中的高很多。很多老话是一些粗浅的经验，有一些经得起科学方法的推敲，有一些不仅无益反倒有害，很多则是相信不相信都没有关系。

有机食品，进步还是倒退

在人们追逐"天然"的过程中，"非转基因"、"绿色"、"生态"等概念方兴未艾，"有机食品"又扑面而来。这个概念集这些前辈之大成，可以算是登峰造极了。虽然有机食品目前在世界食品消耗中所占的比重还很小（百分之几而已），但其增长速度委实惊人。已有几十个国家制定实施了有机农业产品的生产标准，我国也没有落后。另外还有几十个国家正在制定中。可以说，有机食品来势凶猛，日见燎原之势。

"有机食品"是什么

世界各国对于"有机食品"的定义大同小异。基本要求有：物种（粮食、蔬菜、水果、牲畜、水产、蜜蜂等）未经基因改造；生产过程不得使用传统农药、化肥、人粪便、生长调节素、饲料添加剂等非天然东西；产品的加工过程不能进行离子辐射处理，不得使用食品添加剂。

我国从 2005 年 4 月 1 日起实施的《有机产品》国家标准，详细规定了有机产品生产、加工、标示和管理的各种要求。除上述的基本要求之外，还对于水质、空气、生态环境做出了许多细致要求。比如说，生产基地要远离城区、工矿、交通干线、工业污染源、生活垃圾场等。如果用一句话来总结有机农作物的生产，差不多就是把生产加工过程还原到现代文明之前，越原始越好。

对于有机肉类的规定，则更加"人性化"。比如不许给牲畜提前断奶，不能喂同科动物的制品；在生活环境上要保证自然光照、空气流通、适当温度湿度以及户外自由活动；尊重动物的食欲，不能强迫喂食（大概"填鸭"就是强迫喂食的例子）；动物的健康要用"自然方式"来保障，只能使用国家标准许可的方法防治疾病，比如"中兽医、针灸、植物源制剂、顺势疗法等自然疗法"；宰杀动物更是充满"人文关怀"，比如"避免畜禽通过视觉、听觉和嗅觉接触正在屠宰或者已经死亡的动物"，要就近屠宰，行刑前坐车"一般不能超过八小时"，"屠宰时禁止在失去知觉前进行捆绑、悬吊和屠宰"等。

不难看出，有机产品的生产，关键在于对生产过程的控制，所以有机产品的生产、加工和销售必须由政府机构来认证。

有机产品，真的有那么好吗

非有机方式的传统农业生产，不断采用现代化学生物以及工程技术，目标是降低生产成本和提高产量。显而易见，有机生产的成本要高于常规生产。人们趋之若鹜的心态，来源于对现代科技的茫然和对环境污染的恐惧。现代科技越发展，工业技术越广泛，人们反倒越希望"返璞归真"。那么，有机产品，真的有想象的那么好吗？

人们觉得相对于常规农业产品，有机产品"更有营养、更美味、更安全"。为了证实或者否定这样的假设，世界各国的研究机构进行了大量的研究。然而，比较有机和常规生产的产品，设计可靠的实验是非常困难的。因为有机生产有诸多限制，非有机生产只是"可以使用"，而并非"一定使用"，这就使得实验很难有可靠、重复的对照。

"更有营养"其实是一个很模糊的概念。当人们面对一碗米饭、一个苹果或者一块肉时，如何评价它们的营养？人体需要很多不同的成分，而一种食物也含有不同的成分。比较有机和非有机产品的时候，是比较所有成分还是其中某几种成分？动植物的生长除了基因之外，确实跟生长条件密切相关。也就是说，有机生长的产品和常规生长的产品，确实很有可能在某些成分上有差别。问题在于，这种成分多了，那种成分必然减少，这样的差别在不同农场生产的产品之间，不管是有机的还是常规的，同样存在，甚至十分显著。迄今为止，因为有机生长方式导致的成分差异，科学界比较接受的只有一些绿叶蔬菜的含氮量和维生素 C 含量升高。像维生素 C 这样的东西，人体的确需要，问题在于需要多少，而每天所有食物中能够提供多少，这些东西又是不是决定蔬菜品质的主要因素或者重要因素。如果某一种成分对于营养至关重要，传统农业完全可以通过基因改造获得更高的含量。各国科研机构发表了许多研究报告，但是没有什么可靠的数据支持有机产品"更有营养"的传说。

"更美味"是一个主观性很强的概念。比如苹果或者梨，有人觉得含水量高的好吃，有人觉得含水量低的好吃。人们对于是否好吃的判断，深受文化和心理的影响。当人们都以为有机食品更好的时候，就更容易觉得它们也更好吃。"更安全"的问题，主要是跟农药残留以及重金属污染有关。有机产品通过生产流程的控制来避免这些污染，而常规生产则是通过现代技术来保证这些污染物含量低于对人体有害的量。

尽管有几十个国家实施有机产品的国家标准，但是没有哪个官方机构宣称有机产品在营养、味道或者安全性方面优于常规产品。美国农业部 (USDA)甚至公开明确说明，该机构只对有机产品的生产标识进行管理，而不对有机产品的优劣发表任何评论。

理想与现实

尽管没有发现有机产品有什么优势，但是毕竟也没有发现危害。抱着"宁可信其有"的心理，许多人还是倾向于有机产品。换句话说，人们对于有机产品的偏好，是出于一种没有证据支持的"信念"，而不是基于确切存在的事实。当然，从社会心理来说，这也无可厚非。

看看有机产品的国家标准，其生产成本会大大高于常规产品是显而易见的。如果一种产品的包装上打上了"有机产品"的标签，而价格并不明显高于常规产品，那么一定是天上掉馅饼了。有许多人相信"如果我们这样，这样，这样……那么有机农业的产量就可以达到传统农业的水平"。这些说法也确实有一些零星的实验和理论的支持。不过反对的声音要多得多，其中最有名的是被称为"绿色革命之父"的Norman Borlaug，他声称如果都进行有机农业生产，那么地球最多只能养活40亿人口。这就像在武侠小说里，"如果"把武功练到郭靖的水平，不用兵器就能打过几乎所有的人，但是郭靖肯定不会相信襄阳的守军徒手上阵会具有同样的战斗力。另一方面，一个产品如果能印上"有机产品"的标签，就可以卖出比同类非有机产品高得多的价钱。而消费者无法判断一种产品是否真的是有机产品，只能寄希望于商家的信誉。虽然有主管部门的监管，但是有机生产的关键是过程的管理，并没有办法进行产品的检测。即使一个生产基地获得了有机产品的认证，它也可以随时违反标准进行一些"非有机"的操作，监管部门无法通过检测产品来确定它是否违反了标准。可以说，无论"有机产品"这个理想是否合理，其标准的实现都是一件很难保障的事情。

我并不反对有机产品。毕竟追求"高品质"的生活是每个人的自由，花自己的钱买自己觉得值的东西是一种社会财富的再分配，对社会来说是有利的。社会上的许多商品也往往会因为"华而不实"的功能而卖到更高的价钱。有机产品既然能满足"高品质"的生活需求，那么利润自然就会高一些，对于提高农民收入是有好处的。不过，耕地毕竟是有限的，甚至在不断地减少，而人口却在持续增加。至少在目前的现实之中，有机农业降低了土地的出产率，它的推广是否会导致粮食短缺，这将是全社会的问题。无论是科学界还是媒体，有责任把事实的真相告诉大家，而不是让一些似是而非的传说推波助澜。

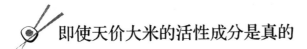

即使天价大米的活性成分是真的

天价大米除了语焉不详的活性成分之外，明说的活性成分有两种：SOD 和维生素 E。且不说这些成分是真是假，毕竟无端地怀疑别人的诚信不是一件厚道的事情，尽管厂家的主张应该由厂家提供证据给有资格、有能力的人和机构来审查。用什么"重要"的人物或者机构购买了该产品来作为证据没有任何说服力，只能蒙骗没有辨别能力的"追星族"。这里讨论的是：即使厂家宣称的活性成分——高 SOD 和维生素 E 含量是真实的，结果又能怎样呢？

SOD 绝大多人都听说过，超氧化物歧化酶，其生物学作用是把超氧阴离子变成过氧化氢，从而防止其对生物体产生氧化损伤。而过氧化氢则会被过氧化氢酶进一步转化成水。常规动植物中的酶，都是在常温或者生理温度下活性最高。酶的活性来源于其特定的结构，外界条件的变化很容易改变酶的分子结构，从而导致其失去活性，高温、酸性环境都是导致酶失去活性的因素。通常在几十摄氏度的环境中，酶很快就失活了。在 SOD 活性的研究中，有研究者在 $60^{\circ}\mathrm{C}$ 下加热 $10\sim30$ 分钟来使之失活。这个温度比起煮饭的温度来，简直是太温和了。如果这种大米中的 SOD 能在米饭煮熟之后还能保持"大部分活性"，大概就可以登上《科学》、《自然》之类的顶尖杂志了。何况，米饭还要进入胃肠，胃中的 pH 通常在 $1\sim2$ 之间，吃完饭之后也约在 $3\sim4$ 之间。这样的酸度对于酶来说，也是失活的环境。再说，作为蛋白质状态的分子无法进入人体，也就无法体现酶的活性。所以，不管"天价大米"中含有多少 SOD，成为米饭之后不会对人体有任何意义。

维生素 E 的问题更加搞笑。维生素 E 的确是人体不可缺少的营养成分，但是"需要"并不意味着越多越好。就维生素 E 来说，正常人并不缺乏。美国国家卫生研究院(NIH)食品添加剂办公室认为，维生素 E 缺乏在人群中很少发生，只有以下几种人可能出现：胆汁缺乏或者脂肪代谢困难的人；罕见的基因异常，因而缺乏维生素 E 转移蛋白的人；因早产而体重严重不足的婴儿（小于 3 斤）。不难看出，这些情况在人群中都不容易出现。补充维生素 E 的"保健"作用没有任何确切证据来支持，即便是市场上很有号召力的"抗氧化保护皮肤"，也没有得到认可。对于长期补充维生素 E 对于人体健康的影响，还缺乏长期的研究。根据短期研究和动物研究的结论，美国国家医药局(institute of medicine)食品营养委员会设定了一个推荐摄入量 (RDA)和可耐受最高摄入量(UL)。对成年人来说，推荐摄入量为每天 15 毫克，而最高摄入量为每天 1000 毫克。低龄人群比这个量还要低。维生素 E 本身是一种抗凝血剂，过多的摄入会导致流血不止。最高摄入量是人体能够接受的最大含量，超过的话就有可能危害健康。通常一颗维生素能达到人体的推荐摄入量(尽管这没有什么必要，通常人体能够从饮食中获取)，如果二两天价大米相当于 4000 颗维生素 E 颗粒的话，基本上已经相当于"毒药"了。

按照 FDA 的原则，如果一种食品具有强烈的"保健"或者"医药"作用，是不允许销售的。因为这样的东西已经改变了食物的特性，存在着不可预知的风险。

"隔夜菜"是否真的致癌

但凡关注食品健康的人，肯定听过"隔夜菜致癌"的说法。在网络、报刊上甚至有某人吃了隔夜菜被送进急救室的报道。许多专家也纷纷解释，隔夜菜会产生亚硝酸盐，而亚硝酸盐是一种致癌物；更有甚者指出，"蔬菜每加热一次，致癌物增加几十倍"。那么，蔬菜中有多少致癌物？它们又从何而来？"隔夜"过程中发生了什么？蔬菜，又该如何保存和食用呢？

致癌物，不可避免的存在

氮是自然界中广泛存在的元素，植物的生长必须要有氮肥。植物吸收环境中的氮，通过复杂的生化反应最终合成氨基酸。在这个过程中，硝酸盐的产生是不可避免的步骤之一。在植物体内有一些还原酶，可以把一部分硝酸盐还原成亚硝酸盐。

所以，所有的植物中都含有硝酸盐和亚硝酸盐。现在的科学研究结果一般认为硝酸盐本身是无毒的，而亚硝酸盐如果大量进入人体的话，可能导致"高铁血红蛋白症"，血液失去携带氧的能力，从而出现缺氧症状，严重的可能危及生命。对亚硝酸盐更广泛的忧虑还在于它在人体内可能转化成亚硝胺，而后者是一种致癌物。

我们的所有饮食，水、肉、蔬菜、水果等，都不可避免地含有硝酸盐和亚硝酸盐。根据欧美等国的统计，在正常饮食中，蔬菜是硝酸盐最主要的来源，而亚硝酸盐往往跟硝酸盐的转化相关。在植物性食物中，又以绿叶蔬菜的含量最高。

除了蔬菜种类本身，硝酸盐的含量还跟种植方式、收割期等因素有关。不同的蔬菜之间，同种蔬菜的不同产地、不同季节之间，硝酸盐的含量也会大大不同。

不过，在正常情况下，蔬菜中的这些硝酸盐和亚硝酸盐的含量距离危害人体的剂量还有相当的差距。而且，蔬菜对人体健康有着许多明确的好处。所以，科学界、食品卫生机构还是推荐人们多吃蔬菜。

这样，我们关心的问题就变成了：如何在获得蔬菜带来的好处的同时，尽量减少可能的危害？

"隔夜菜"，与"夜"无关

晚上炒了一盘菜，没吃完，第二天再吃，当然就叫"隔夜菜"。不过，正如有人问的：如果我半夜吃呢？如果我早晨炒了，晚上吃呢？

从食品科学的角度来说，隔不隔夜不是问题所在。问题的实质是做好的菜在保存过程中发生了什么。我们担心的是蔬菜中的硝酸盐转化成亚硝酸盐。这个转化过程可以由蔬菜中本来的还原酶来实现，不过在菜被加热做熟的过程中，这些酶失去了活性，这条路也就被截断了。另一种途径是细菌的作用，本来蔬菜被做熟，其中的细菌也被杀得差不多了。但是在吃的过程中，筷子上会有一些细菌进入菜中；在保存过程中，一些空气中的细菌也有可能进入剩菜中。做熟的蔬菜更适合细菌繁衍，在适当的条件下它们会大量生长，而生长过程中硝酸盐就可能转化成亚硝酸盐。

这样的一个过程，与隔不隔夜无关，只与保存条件有关。最后菜中会有多少亚硝酸盐产生，首先取决于蔬菜本身；其次是做熟的蔬菜在什么样的条件下保存；第三才是保存了多长时间。

不吃"隔夜菜",吃什么

根据前面的分析,"隔夜菜"确实可能会产生致癌物亚硝酸盐。如果我们不吃"隔夜菜",是不是就解决问题了呢?

那得看跟什么吃法相比:

如果我们可以每餐都买新鲜的蔬菜,做多少吃多少,那么不吃"隔夜菜"是有意义的。但是,如果我们只是把买来的蔬菜放到"隔夜"之后再做,跟做熟了之后放置"隔夜"相比,差别在哪儿呢?

首先,蔬菜里的还原酶还保持活性,它们可能继续把硝酸盐转化成亚硝酸盐。其次,蔬菜上的细菌依然存在,外部的细菌也依然可以进入到蔬菜里去。不过因为蔬菜是完整的,它们对于细菌的天然保护机制可能还继续起作用,所以细菌的生长也可能不如在"熟菜"中那么如鱼得水。

毫无疑问,不管是做成了"熟菜"还是把生蔬菜放到第二天再做,菜中都可能产生亚硝酸盐。一旦产生,就无法去除。至于哪种方式产生得多,影响因素太多,除非针对每一种菜、每一种保存条件来做实验检测,否则难以得出简单的结论。

话题之外:"隔夜肉"又如何

在继续说蔬菜之前,我们顺便来说说"隔夜肉"的问题。肉中天然含有的硝酸盐非常少,通常肉的安全性问题更多地来自于细菌生长。跟蔬菜不一样的是,生肉也很适合细菌的生长,而且生肉本身携带的细菌可能更多。即使是在冰箱的"保鲜"温度下(通常4℃左右),生肉放不了几天就会长出大量细菌。如果把肉煮熟,杀死了肉本来携带的"菌种",就会好一些。

不过,保存后的生肉在做熟的时候会经过高温长时间的加热,长出的细菌会被杀死。而熟肉的加热通常要温和得多（"热菜"嘛，顾名思义加热了就行），已经产生的细菌不会被杀死，反而会更危险一些。

所以，对于肉来说，最有效的方式是每次少买，尽量减少储存时间。如果要保存的话，尽量放在冷冻室中，基本上可以防止细菌的生长。"保鲜"储存的肉，洗干净、包好可以减少细菌的入侵机会。做熟的肉，也要密封，下一次吃的时候充分加热。对于肉来说，通常的加热不会产生任何有害成分，最多只是影响口味而已。

肉中本身的硝酸盐和亚硝酸盐都不多。工业加工的肉类熟食，一般会含有一些防腐剂。最常用的防腐剂正是亚硝酸钠。亚硝酸钠的安全性已经有了大量的检测数据。简单说来，就是合法使用量下不会给人体带来能够检测到的危害。但是如果超量食用来源不明的熟肉制品，就比较危险了。

总结：如何保存和食用蔬菜

回到蔬菜上来。因为蔬菜对于健康有明确的好处，我们不可能因为"可能"有硝酸盐和亚硝酸盐的存在就不吃。现代社会的生活方式又使得很多人不可能像农民那样每顿饭从地里现拔蔬菜做来吃。对许多人来说，买一次菜吃几天也是很普通、很平常的事情。所以，保存蔬菜就成了食品健康中很重要的问题。

蔬菜中亚硝酸盐的产生，原料是蔬菜中的硝酸盐，转化条件主要是细菌生长，"隔夜"只是时间长短的问题。减少亚硝酸盐的产生，可以多管齐下。首先，减少蔬菜尤其是绿叶蔬菜的保存时间，增加买菜频率；其次，需要保存的蔬菜，洗净包好可以减少携带的细菌，做好没吃完的蔬菜，也可以封好保存在冰箱中。"隔夜"并非亚硝酸盐产生的关键，加热也不会增加致癌物的含量。当然，蔬菜中的许多种维生素在加热的时候会被破坏，多次加热的蔬菜也比较难吃。从"好吃"的角度来说，"隔夜菜"确实比较差；从营养的角度来说，多次加热确实有一定影响；但从安全性的角度说，加热并没有什么问题。隔夜菜，也完全没有传说中的"致癌"能力。

 ## 聚 议 厅

Yz 小白：

1. 隔夜茶的概念很难区别

早晨泡的茶下午喝很常见。深夜工作泡的茶，清早起床后喝，茶水中发生的变化不会比白天大，如果非得说有什么不同的话，倒是白天的气温高，茶水变化可能更大些。

2. 还有人推测，隔夜茶会产生亚硝胺这种致癌物质

首先，应该肯定茶叶中即使有亚硝胺，也是微不足道的，我们日常食用的许多食物中，如面包、蔬菜、腌菜、咸鱼、咸肉等均含有亚硝胺（如上文），而且其中的量较茶水中的多多了，可也没见大家都不吃饭菜了。

隔夜茶因为时间过久，维生素大多已丧失，且茶汤中的蛋白质、糖类等会成为细菌、霉菌繁殖的养料，所以，人们通常认为隔夜茶不能喝。隔夜茶，应以不变馊（变质）为度。夏季温度高，茶水易酸败变味，如果搁置了二十四小时以上，最好不喝，否则会引起腹泻。